RUDOLF KILIAN
JESAJA 1–39

ERTRÄGE DER FORSCHUNG

Band 200

RUDOLF KILIAN

JESAJA 1–39

1983

WISSENSCHAFTLICHE BUCHGESELLSCHAFT

DARMSTADT

CIP-Kurztitelaufnahme der Deutschen Bibliothek

Kilian, Rudolf:
Jesaja 1 [eins] – 39 / Rudolf Kilian. –
Darmstadt: Wissenschaftliche Buchgesellschaft,
1983.
  (Erträge der Forschung; Bd. 200)
  ISBN 3-534-08777-1
NE: GT

1 2 3 4 5

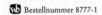 Bestellnummer 8777-1

© 1983 by Wissenschaftliche Buchgesellschaft, Darmstadt
Satz: Maschinensetzerei Janß, Pfungstadt
Druck und Einband: Wissenschaftliche Buchgesellschaft, Darmstadt
Printed in Germany
Schrift: Linotype Garamond, 9/11

ISSN 0174-0695
ISBN 3-534-08777-1

INHALT

VORWORT

›Erträge der Forschung‹ – dieses Programm impliziert, daß die Forschung der vergangenen Jahrzehnte wie auch die der Gegenwart zur Darstellung gebracht wird. Dies kann freilich wegen der Menge der Publikationen nur noch in einem begrenzten Umfang geschehen. Daß eine Auswahl subjektiv ist, läßt sich nicht vermeiden. Gewisse Einseitigkeiten ergeben sich schließlich auch, wenn einzelne Autoren in längeren Zitaten zu Wort kommen. Doch lassen sich auf diese Weise Positionen besser klären und Diskussionen ertragreicher führen. Auch die hier gewählte themenorientierte Erörterung hat ihre Nachteile, da die Entstehung des Jesajabuches so nicht erfaßt werden kann. Andererseits ermöglicht die thematische Ausrichtung eine Konzentration auf die wirklich bedeutsamen Fragen der Jesajaexegese.

Ein ausgesprochener Literaturbericht war nicht erstrebenswert, da für die ältere Literatur bereits einer von E. J. YOUNG und für die neuere einer von G. FOHRER vorliegt. Zudem kann auch noch auf die ausführlichen Literaturangaben bei H. BARTH und J. VERMEYLEN verwiesen werden.

Zu danken habe ich meinen Mitarbeitern, Herrn Dr. Dirk Kinet und Herrn Dr. Wolfgang Werner, für ihre stete Einsatzbereitschaft und Frau Gertraud Hafner für die Erstellung des Manuskriptes.

Augsburg, 6. Dezember 1982   Rudolf Kilian

EINFÜHRUNG

Jesaja, der Sohn des Amoz, hat im 8. Jh. v. Chr. gelebt und prophetisch gewirkt. Er war mit einer Frau verheiratet, die in 8, 3 Prophetin genannt wird. Diese Bezeichnung läßt aber keine Rückschlüsse auf eine eigenständige prophetische Tätigkeit seiner Frau zu.[1] Seine beiden Söhne tragen Zeichennamen: *Rest-kehrt-um* (7, 3) und *Eilebeute-Raubebald* (8, 3). Durch ihre Namen sind sie in die Prophetie ihres Vaters einbezogen.[2] Seine Berufung zum Propheten fällt nach 6,1 in das Todesjahr Usijas (Asarjas). Dieses ist freilich umstritten. Die bislang vorgetragenen Datierungsversuche reichen von 748 bis 734.[3] Man wird wohl mit A. JEPSEN 736 oder mit V. PAVLOVSKÝ/E. VOGT vielleicht auch noch 739 annehmen dürfen.[4] Auf jeden Fall ist chronologisch keine zeitlich sehr ausgedehnte und umfangreiche prophetische Tätigkeit vor dem syrisch-efraimitischen Krieg (734/33) auszumachen. Dem entspricht auch der Textbefund.

Das Jesaja zugeschriebene Buch (Jes 1–66) geht nur zum geringsten Teil auf den Propheten selbst zurück. Schon seit langem ist erkannt, daß Jes 40–55 (sog. Deuterojesaja) und 56–66 (sog. Tritojesaja) der exilischen bzw. nachexilischen Zeit zuzuordnen sind. Aber auch die verbleibenden Texte in 1–39 lassen Partien nichtjesajanischer Herkunft erkennen. So werden zumindest seit B. DUHM die Kap. 24–27; 33; 34 f.; 36–39 allgemein Jesaja abgesprochen.[5] Sie werden deshalb im folgenden auch nicht berücksichtigt. Ebenso gilt

---

[1] Anders A. Jepsen, Nebiah, 267 f.

[2] Zur Frage, ob auch Immanuel ein Sohn Jesajas ist, siehe unten S. 19 f.

[3] Siehe dazu u. a. I. Engnell, Call, 25.

[4] A. Jepsen/R. Hanhart, Untersuchungen, 42; V. Pavlovský/E. Vogt, Jahre, 347.

[5] Siehe dazu B. Duhm, Jesaia, 18–22, und die üblichen Einleitungen in das Alte Testament.

1

als sicher, daß die jetzige Einteilung von 1–39 in die drei Partien 1–12 (Worte gegen das eigene Volk), 13–23 (Worte gegen fremde Völker) und 24–35 (Heilsworte) kein Ordnungsprinzip des ursprünglichen Jesajabuches war, wenn es ein solches je gegeben haben sollte; hier handelt es sich vielmehr um eine spätere Nachahmung der Einteilung des Ezechielbuches.

Viel verhandelt wurde auch schon die Frage, ob der noch verbleibende Rest von 1–39 im Sinne von O. PROCKSCH eine Urgestalt des Jesajabuches erschließen läßt, das „von denkbarer Vollkommenheit war, wie sie dem formgewaltigsten aller alttestamentlichen Schriftsteller entspricht" [6], oder ob sich nur ursprüngliche Einzelsammlungen als Grundlage von 1–39 aufweisen lassen.[7] Da diese Fragen ebenso wie die Datierung der Einzelsammlungen in den Einleitungen wie auch in den Arbeiten zur Komposition des Jesajabuches ausgiebig erörtert sind, will ich hier nicht darauf eingehen. Eine Einigung zeichnet sich da ohnehin nicht ab. Zudem kann es kaum Ziel einer erneuten Darstellung der Problematik der Prophetie Jesajas sein, nur die Ausführungen der Einleitungswerke auf einer breiteren Literaturbasis zu entfalten. Eine spezifische Aufarbeitung der umstrittenen inhaltlichen Aussagen dürfte hier eher angebracht und auch ertragreicher sein.

Wenn ich die wissenschaftliche Diskussion in diesem Jahrhundert und auch in den letzten Jahrzehnten richtig sehe, dann zeichnet sich zwar eine Reihe von methodischen Neuansätzen ab, denen im einzelnen nachzugehen, reizvoll wäre, jetzt vor allem in der redaktionsgeschichtlichen und tendenzkritischen Betrachtungsweise (so z. B. bei J. BECKER, H. BARTH und O. KAISER), zugleich zeigt sich bei einer kritischen Durchforstung der Literatur aber auch dies, daß trotz verschiedener methodischer Ansätze wiederholt dieselben Themenkreise auf diese oder jene Weise erörtert werden. Deshalb befaßt sich diese Arbeit ausschließlich mit den immer wieder diskutierten und für das Gesamtverständnis jesajanischer Prophetie nach wie vor entscheidenden Themen *Messias, Rest, Zion, Assur, Um-*

---

[6] O. Procksch, Jesaia, 18.
[7] Siehe dazu die üblichen Einleitungswerke.

kehr, Verstockung. Diese ganz und gar thematisch orientierte Einengung mag zwar manche Nachteile bergen, weil z. B. die literarische Schichtung und der redaktionsgeschichtliche Aspekt nicht genügend berücksichtigt werden, andererseits ist zu hoffen, daß dadurch die Frage nach der tatsächlichen Verkündigung Jesajas anschaulich und textbezogen, vielleicht auch lesbarer zur Darstellung gebracht werden kann. Auch die gegenwärtige wissenschaftliche Jesaja-Diskussion ist keine reine Methodologie, es geht immer zugleich um die Erhebung der ursprünglichen Botschaft Jesajas und deren späterer Entfaltung bzw. Ergänzung. Und hier stehen nun einmal die oben genannten Themen im Mittelpunkt. Wenn in manchen Partien der Literatur um 1900 größere Beachtung geschenkt wird, als dies angemessen zu sein scheint, so soll damit nur aufgezeigt werden, wie lange schon um diese Fragen gerungen wird und welch bedeutsame Vorarbeiten damals geleistet wurden.

I. DER MESSIAS

Die Frage, ob Jesaja als Künder der messianischen Hoffnung zu gelten hat, hängt zunächst einmal davon ab, wie der Terminus Messias interpretiert wird. Im Anschluß an G. FOHRER wird der Messias hier verstanden als „eine eschatologische, endzeitliche Gestalt"[1]. Zwar ist der eigentliche Herrscher der Endzeit Gott selbst, aber „da er nicht leibhaftig auf Erden erscheinen und regieren kann, muß er einen irdischen Stellvertreter haben, der für ihn und in seinem Auftrag regiert. Das eben ist der Messias"[2]. Bei Jesaja konzentriert sich die Frage auf die Texte 7, 10–17; 9, 1–6 und 11, 1–9. Fast allgemein anerkannt ist der messianische Charakter von 11, 1–9; bei 9, 1–6 melden sich Gegenstimmen; 7, 10–17 ist umstritten.

Jes 9, 1–6

Bei diesem Text stellt sich nicht nur die Frage, ob er authentisches Jesajawort ist, sondern auch die, ob er überhaupt messianisch verstanden werden darf. Bereits K. BUDDE lehnt eine messianische Interpretation ab.

„Der Viernamenfürst, den unser Stück einführt, ist ein davidischer König von Fleisch und Blut, im Augenblick der Rede bereits zur Welt geboren, der im Laufe des letzten Drittels des 8. Jahrhunderts v. Chr. den Thron von Juda besteigen soll." Wahrscheinlich ist Hiskia gemeint. „Erst späte Geschlechter haben dann vermöge des Weiterweissagens der Gemeinde aus den überliefer-

---

[1] G. Fohrer, Messiasfrage, 18.
[2] G. Fohrer, Messiasfrage, 19. Siehe dazu aber auch J. Coppens, Origines, bes. 35–38; H. Groß, Messias, 154–170; S. Mowinckel, He that Cometh, bes. 3–9; sowie die Diskussion der Frage bei W. Werner, Eschatologische Texte, 81–88.

ten, bisher unerfüllten Weissagungen, auf das HERMANN SCHULTZ feinsinnig den Namen 'Doppelter Schriftsinn' angewendet hat, aus der völlig zeitgeschichtlich gemeinten Verheißung eine messianische Weissagung gemacht, die am Ende der Tage wahr werden soll."[3]

Gegen eine messianische und für eine rein zeitgeschichtliche Deutung des Textes hat sich vor allem A. ALT eingesetzt. Sein Aufsatz ›Befreiungsnacht und Krönungstag‹ (1950) hat geradezu Schule gemacht. Er nimmt an, daß 8, 23b die ursprüngliche Einleitung zu 9, 1–6 sei. „Der Weg des Meeres, das Jenseits des Jordans und der Kreis der Völker" bezeichnen nach ihm die 733 v. Chr. aus dem Nordreich Israel ausgegliederten assyrischen Provinzen Dor, Gilead und Megiddo. In der Zeit zwischen 732 und 722 habe Jesaja diesen Gebieten die baldige Befreiung aus dem Assyrerjoch (8, 23b–9, 4) und zugleich die Thronbesteigung eines neuen Davididen zu Jerusalem geweissagt (9, 5f.). In 9, 5f. sei nicht „auf die physische Geburt des betreffenden Davididen angespielt"[4], sondern auf dessen Amtsantritt, auf den Adoptionsakt durch Jahwe. Die Verbindung der verschiedenen Geschehnisse und Örtlichkeiten – und damit die Einheit von Ort und Zeit – erreicht A. ALT mittels der These, die „offizielle Botschaft des jerusalemischen Hofes" sei durch Herolde in die drei Provinzen gebracht worden.[5]

„Alles spielt sich in jenen Randgebieten des Reiches Israel ab, die sogleich zu Anfang in 8, 23 genannt sind, und alles ist so dargestellt, wie es die dortige Bevölkerung Schlag auf Schlag erlebt. Kaum ist sie über Nacht mit einem Male von der Herrschaft der Assyrer befreit worden und hat sie am nächsten Morgen die Scheiterhaufen errichtet, in deren Flammen das zurückgelassene Hab und Gut der fremden Soldateska aufgehen soll, da treffen auch schon die Herolde aus Jerusalem ein und verkünden, was dort soeben geschehen ist. Die Befreiungsnacht hier und der Krönungstag dort grenzen also zeitlich unmittelbar aneinander, und in diesem Zusammentreffen wird für jeden, der Augen hat zu sehen, eine prästabilierte Harmonie zwischen beiden Ereignissen sichtbar, die auf Jahwe als ihren Urheber zurückgehen muß."[6]

[3] K. Budde, Schranken, 188.
[4] A. Alt, Befreiungsnacht, 217.
[5] A. Alt, Befreiungsnacht, 221.
[6] A. Alt, Befreiungsnacht, 222.

Zur Nachwirkung dieser These sei u. a. verwiesen auf O. KAISER und S. HERRMANN [7], J. BECKER [8] und H. WILDBERGER [9].

Häufiger als diese zeitgeschichtliche und ursprünglich nichtmessianische Interpretation findet sich jene, die zur Jesajanität des Textes hin auch noch die Messianität vertritt, wobei Messianität freilich auch hier nicht immer in gleicher Weise verstanden wird. [10] Diese Ansicht ist einmal durch die christliche Tradition vorgegeben, zum anderen beruht sie mit auf dem Vorverständnis, Jesaja habe nun einmal nicht nur Gericht, sondern darüber hinaus auch noch Zukunft und Heil, zumindest für einen Rest, angesagt.

„Das jetzt unter Gottes Gericht von der brutalen assyrischen Weltmacht in den Untergang hineingestoßene Gottesvolk geht einer ganz neuen Weltzeit entgegen. Sie wird durch überströmende Freude an neuer Lebensmöglichkeit, ja Lebenswirklichkeit ausgezeichnet sein. Dieses neue Leben gründet darin, daß Gott selbst sich als Befreier von den Machtmitteln der Weltmacht erweist, daß er dauerhaften Frieden begründet und als Verwalter dieses Friedensreiches einem in Israel aufwachsenden Sohn auf Davids Thron die Weltherrschaft bis ans Ende anvertraut." [11]

Diese Ansicht wird so oder in noch viel deutlicherer Version vertreten von B. DUHM, O. PROCKSCH, J. COPPENS, G. VON RAD, J. J. STAMM, M. REHM und vielen anderen.

Wieder anders stellt sich die Frage nach der Messianität von 9, 1–6 bei jenen, die diesen Text Jesaja absprechen. Und auch hier ist wieder zu unterscheiden, nämlich zwischen einer vorexilischen und einer exilisch-nachexilischen Datierung des Textes. Jene Autoren, die noch mit einer vorexilischen Entstehung des Textes rechnen, postulieren eine zeitgeschichtliche nichtmessianische Grundaussage. Doch die darin bezeugte Königsideologie und/oder die religionsge-

[7] O. Kaiser, Jesaja I[1], 91 f.; S. Herrmann, Heilserwartungen, 132–137.

[8] J. Becker, Isaias, 22 ff.; ders., Messiaserwartung, 40.

[9] H. Wildberger, Jesaja I, 372 f. 376 f., der allerdings in v. 5 f. an die Geburt eines Kronprinzen denkt und nicht an dessen Amtseinführung. Zudem versteht er diese Verheißung in gewisser Weise dann doch auch noch messianisch, wenn auch in abgeschwächtem Sinn.

[10] Siehe dazu u. a. M. Rehm, Messias 181 ff.

[11] H. W. Wolff, Frieden, 72 f.

schichtliche Entwicklung ermöglichten dann ein späteres messianisches Verständnis, so u. a. S. MONWINCKEL [12] und Th. LESCOW [13]. Mit der Zeit Josias bringen den Text in Zusammenhang J. VERMEYLEN [14] und H. BARTH, der für diese These zusammenfassend so argumentiert:

> „a) Die überragende Qualifizierung der Königsherrschaft Josias in 9, 6 hat Anhalt an deren historisch zu erhebenden Wirkungen und Leistungen und steht im Einklang mit der Einschätzung und Wertung Josias im AT sonst.
>
> b) Daß in der Josiazeit die Konzeption eines davidischen Gesamtisrael neue Virulenz entfaltete, wird in der Forschung schon seit langem angenommen; die gesamtisraelitische Orientierung von Jes 8, 23b + 9, 6 wird auf diesem Hintergrund um so verständlicher.
>
> c) Die in 9, 5 genannten Thronnamen dürften die tatsächlichen Thronnamen des Josia darstellen. Daß der Vers auf die Inthronisation eines Jerusalemer Königs zurückblickt und die Thronnamen vorstellungsmäßig den Aussagen der Jerusalemer Königsideologie sonst entsprechen, haben wir bereits gesehen. Darüber hinaus fällt auf, daß nur der vierte Thronname im Kontext eine Rolle spielt . . ., während die ersten drei Thronnamen in 8, 23b – 9, 6 ohne ein deutliches sachliches Pendant bleiben; dies stützt die Vermutung, daß die Thronnamen dem Verfasser von 8, 23b – 9, 6 bereits vorgegeben waren und er sie nicht im Rahmen seiner Aussageabsicht selbst gebildet hat." [15]

Die exilisch-nachexilische Entstehung und den von allem Anfang an messianischen Charakter des Stückes vertreten bereits sehr entschieden T. K. CHEYNE und K. MARTI [16]. G. FOHRER weist darauf hin, daß sich der Text auf keine bestimmte geschichtliche Lage beziehen läßt und keine Verbindung zu anderen Jesajatexten nachweisbar ist.

[12] S. Mowinckel, He that Cometh, 108–110.
[13] Th. Lescow, Geburtsmotiv, 186 ff., vermutet, 9, 1–6 sei nach 701 v. Chr. „in Kreisen der Jerusalemer Hofprophetie entstanden" und später dann der jesajanischen Prophetie zugeordnet worden. O. H. Steck, Friedensvorstellungen, 62 f., datiert ähnlich, bemüht auch die Jerusalemer Heilsprophetie, vertritt jedoch den Weissagungscharakter des Stückes.
[14] J. Vermeylen, Isaie I, 244–248.
[15] H. Barth, Jesaja-Worte, 177.
[16] T. K. Cheyne, Einleitung, 44–46; K. Marti, Jesaja, 94–96.

„Der Prophet verheißt weder in Verbindung mit 8, 23b die Befreiung einiger
Teile Nordisraels von der assyrischen Herrschaft, da er dem Nordreich stets
den Untergang angekündigt hat (vgl. noch 28, 1–4), noch spielt er auf die
Geburt des »Gott-mit-uns« von 7, 14 an, da er für Juda wegen seines Verhal-
tens im syrisch-ephraimitischen Krieg kein Heil, sondern Unheil erwartet
(vgl. 7, 18 ff.; 8, 5 ff.). Vor allem gehört das Wort seinem Inhalt nach zur
nachexilischen eschatologischen Prophetie." [17]

Auf die historischen Schwierigkeiten der These A. ALTS, die für
manche Grund ist – wenn auch in Varianten –, sich einer messianischen und nachexilischen Interpretation zu versagen, macht eigens
O. KAISER aufmerksam; darüber hinaus bezweifelt er die ursprüngliche Zusammengehörigkeit von 8, 23b und 9, 1–6. [18] Diese Zweifel
untermauert W. WERNER, indem er literarkritische und redaktionsgeschichtliche Bedenken gegen die postulierte Einheitlichkeit vor-
bringt. Nach ihm ist 8, 23b ein redaktionelles Brückenglied, das
9, 1–6 mit 8, 21–23a verbindet. [19] Stimmt es nun tatäschlich, wie
W. WERNER einsichtig machen kann, daß 8, 23b ursprünglich nicht
zu 9, 1–6 gehört hat, dann kann man allerdings auch von 8, 23b her
nicht mehr die gesamte Zeitebene von 8, 23b–9, 6 bestimmen, wie es
H. BARTH tut, der 8, 23b–9, 6 auf ein zurückliegendes Ereignis, die
Josiainvestitur, bezieht, vielmehr legt sich dann für 9, 1–6 ein futuri-
scher, letztlich ein eschatologischer Aspekt nahe.

„Sprachliche wie sachliche Gründe machen es in hohem Grade wahrscheinlich, daß das messianische Gedicht Jes 9, 1–6 die Hoffnung der nachexilischen Zeit widerspiegelt. Das von Jesaja angekündigte Gericht ist bereits
geschehen. Aus dem Entweder-Oder von Umkehr oder Gericht ist ein
zeitliches Vorher-Nachher geworden: erst Gericht, dann Heil." [20]

[17] G. Fohrer, Jesaja I, 138.
[18] O. Kaiser, Jesaja I, 197 f.
[19] W. Werner, Eschatologische Texte, 21–25. 42 ff. Siehe auch G. Fohrer, Jesaja I, 136.
[20] J. Vollmer, Sprache, 349. Zum Nachweis, daß der Versuch H. Wildbergers, Jesaja I, 369 f., mit Hilfe des Vokabulars die Jesajanität von 9, 1–6
zu retten, gescheitert ist, siehe J. Vollmer, Begrifflichkeit, 389–391, und
W. Werner, Eschatologische Texte 44 f.

Dieses Urteil läßt sich noch erhärten, wenn man die in 9,1–6 verarbeiteten Motive, Themen und Traditionen berücksichtigt und mit ähnlichen im AT belegten Vorstellungen vergleicht.[21]

Alles in allem muß man so 9,1–6 als nachexilische messianische Verheißung bestimmen. Als typische Relecture greift sie Vorgegebenes auf und führt es weiter. In 9,5f. liegen z. B.

„Anspielungen auf die Natansweissagung in 2Sam 7, 8–17 vor. So entspricht die Proklamation der Geburt des 'Sohnes' der Zusage von 2Sam 7,14. Die in Jes 9, 6 ausgesagte Friedensherrschaft des Messias 'auf Davids Thron und in seinem Königreich' nimmt 2Sam 7,16 auf. Die vier Thronnamen in Jes 9, 5 entfalten die Verheißung des 'großen Namens' in 2Sam 7, 9. Der Hinweis auf den Midianstag in Jes 9, 3 besitzt in der Erwähnung der Richterzeit in 2Sam 7,11 eine Parallele"[22].

Seinen Platz am Ende der sog. Denkschrift (6, 1–8, 22) hat dieser Text wohl deshalb erlangt, weil der in 7, 14 angesagte Immanuel in nachexilischer Zeit als Messias verstanden wurde.

„So nimmt der Ausruf 'Ein Kind ist uns geboren' (Jes 9, 5) das 'Wir'-Element des Immanuelnamens wieder auf. Ferner entfalten die Thronnamen in Jes 9, 5 die heilvolle Dimension des 'Gott mit uns'. Der Text 9, 1–6 versteht somit die Immanuelankündigung in Jes 7, 14 in messianischem Sinn."[23]

Jes 11, 1–9

Der messianische Charakter dieses Stückes ist fast allgemein anerkannt.[24] Anders verhält es sich bei der Frage der Authentizität. Die traditionelle Ansicht, der Text sei jesajanisch, ist gut bezeugt

---

[21] Siehe dazu W. Werner, Eschatologische Texte, 27–41.

[22] W. Werner, Eschatologische Texte, 197.

[23] W. Werner, Eschatologische Texte, 197.

[24] Siehe dazu K. Marti, Jesaja, 91–94; B. Duhm, Jesaia, 104f.; G. Fohrer, Jesaja I, 166–169; O. Kaiser, Jesaja I, 197. Anders M. B. Crook, Occasion, 213–224, die die Verse als Krönungsliturgie bestimmt und mit deren erstmaligen Anwendung bei der Inthronisation des Königs Joas (837 v. Chr.) rechnet. Mit dieser Situation, 2Kön 11, bringt sie auch Jes 9, 1–6 in Verbindung.

und reicht von B. Duhm [25] bis zu H. Wildberger [26]. Manche halten nur 11, 1–5 für jesajanisch und bestimmen die vv. 6–9 als spätere Erweiterung, weil in v. 6 ff.

„ein neues Thema angeschlagen wird: Paradiesische Zustände in der Tierwelt, der allgemeine Tierfrieden. Wolf und Lamm, Rind und Löwe werden friedlich beieinander weilen, und auch die dann notwendige vegetarische Ernährung des Löwen ist bedacht. Das sind vom Blickwinkel einer bäuerlichen Gesellschaft durchaus wünschenswerte Zustände; aber mehr noch: es sind Anzeichen einer Wiederkehr des Paradieses. Das zeigt schon, daß wir hier in einen ganz anderen Traditionsbereich eintreten" [27].

Das sind Farben, „die wir sonst auf Jesajas Palette nicht finden, wohl aber auf manchen aus späterer Zeit stammenden Gemälden der glücklichen Endzeit" [28].

Ausführlich begründet K. Marti die These, 11, 1–8 (9) stamme nicht von Jesaja, weil Jesaja das Heil nicht vom König erwartet, die bleibende Ausrüstung mit dem Geist Jahwes Zeichen späterer Zeit ist, der Zusammenbruch der davidischen Dynastie vorausgesetzt ist, bei Jesaja ansonsten keine solche Darstellung des Gottesfriedens belegt ist und sich im Leben Jesajas keine Zeit ausfindig machen läßt, die zur Entstehung dieser Weissagung paßt. [29] Eine solche Spätdatierung vertreten auch G. Fohrer und O. Kaiser in ihren Kommentaren.

In einer gründlichen und umfangreichen Überprüfung aller relevanten Argumente, die in der Literatur verhandelt werden, kommt W. Werner zu dem Schluß, daß die Wortwahl, wenn man sich nicht

---

[25] B. Duhm, Jesaia, 104 f., der allerdings v. 9 dem Propheten abspricht.

[26] H. Wildberger, Jesaja I, 442–446. Siehe dazu auch F. Feldmann, Isaias I, 153–158; J. Coppens, Le roi idéal, 85–108; K. Seybold, Königtum, 94; M. Rehm, Messias, 192 f.

[27] H. J. Hermisson, Zukunftserwartung, 59.

[28] O. Eißfeldt, Einleitung, 429. Siehe dazu auch H. Barth, Jesaja-Worte, 60–63. Auch J. Vermeylen, Isaie I, 269–276, trennt 11, 6–9 als späteren Zusatz von 11, 1–5 ab. Doch weist er 11, 1–5 nicht Jesaja zu, sondern bringt ihn wie 9, 1–6 mit Josias Regentschaft in Verbindung.

[29] K. Marti, Jesaja, 113 f. Siehe dazu auch T. K. Cheyne, Einleitung, 63–67.

nur auf gemeinhebräisches Vokabular beruft, und der Stil von 11, 1–9 mannigfache Bezüge zur exilisch-nachexilischen Literatur aufweisen. Ein ähnliches Ergebnis zeitigt auch die Berücksichtigung der in diesem Stück verarbeiteten Motive.[30] Da ferner auch von 9, 1–6 her nicht für die Authentizität von 11, 1–9 votiert werden kann, bleibt als wahrscheinlichste Möglichkeit die, 11, 1–9 der Spätzeit Israels zuzuweisen. Zudem besteht nach W. WERNER auch keine Veranlassung, die Einheitlichkeit von 11, 1–9 aufzugeben, wenn man bereits 11, 1–5 als nachexilisch bestimmt hat. Denn es gehört mit zur Eigenart der alttestamentlichen Eschatologie, Relecture zu sein, in der die verschiedensten Motive und Traditionen verarbeitet und miteinander verbunden sind. Das Musivische solcher Texte mag zwar Anlaß sein, nach der Herkunft der einzelnen Themen und Traditionen zu fragen, nötigt jedoch keineswegs, so entstandene literarische Einheiten im nachhinein wieder zu zerschlagen.[31]

Jes 7,14

Die meisten Autoren vertreten die Jesajanität der Immanuelverheißung. Eine gewichtige Ausnahme bildet O. KAISER, der meint, „daß es sich auch bei 7, 10–17 um eine nachdeuteronomistische, keinesfalls von dem Propheten Jesaja selbst formulierte Erzählung handelt"[32]. Innerhalb von 7, 10–17 unterscheidet er eine Grundschicht (7, 10–14a. 17a), die vielleicht von derselben Hand stammt wie die Grundschicht von 7, 1–9, auf jeden Fall aber auch schon „im Schatten der deuteronomistischen Theologie" steht, und zwei Erweiterungsschichten, eine „messianisch-heilseschatologische Bearbeitung" (7, 14b–16abα*) und eine historisierende Bearbeitung, deren Verfasser „den eschatologisch-messianischen Charakter der Weis-

---

[30] Siehe dazu W. Werner, Eschatologische Texte, 46–75, bes. 73 f.

[31] Daß zur Einheit 11, 1–5 auch noch 10, 33a gehöre, so H. Barth, Jesaja-Worte, 64–76, läßt sich nicht wahrscheinlich machen. Das Heilswort 11, 1–9 ist Anschlußdichtung an die Gerichtsschilderung 10, 33 f. Siehe dazu W. Werner, Eschatologische Texte, 47 f. 76.

[32] O. Kaiser, Jesaja I, 152.

sagung verkannt und mit seinen Ergänzungen vollends verdeckt hat"[33].

Da O. KAISERS Kommentar erst 1981 erschienen ist,[34] läßt sich noch nicht absehen, inwieweit sich diese These durchsetzen wird. Doch besteht der Verdacht, daß O. KAISER u. a. auch hier seinen grundsätzlich positiv zu bewertenden redaktionsgeschichtlichen Ansatz überzogen hat. Denn in literarkritischer und inhaltlicher Hinsicht besteht an sich keine Veranlassung, eine derartige Genesis von 7, 10–17 anzunehmen. Da genügt es, nach der Ursprünglichkeit von 7, 16bα*β und 7, 15 zu fragen. Bedeutsame Einwände hat bereits W. WERNER vorgetragen. Wenn nämlich die Grundschicht von 7, 10–17 in 7, 10–14a. 17a vorliegt, dann hat das zur Folge, daß

„das neue von Jahwe gegebene Zeichen das Unheil selber ist. Damit aber tritt die Schwäche der Theorie zutage: Ein Zeichen »ist eine Sache, ein Vorgang, ein Ereignis, woran man etwas erkennen, lernen, im Gedächtnis behalten, oder die Glaubwürdigkeit einer Sache einsehen soll.« (H. Gunkel, Genesis 150) Wenn nach O. Kaiser Zeichen und Unheil, das heißt ja wohl Jahwes Gerichtshandeln, zusammenfallen, dann besteht das Zeichen im strengen Sinn nicht mehr"[35].

Daran ändern auch die Hinweise O. KAISERS auf Ex 3, 12 und Jes 37, 30[36] nichts Wesentliches, weil diese Stellen nicht zu tragen vermögen, was man ihnen hier aufbürdet.[37]

„Noch fragwürdiger wird die Position O. Kaisers, wenn er Jes 7, 14b–16a (21 f.) zusammen mit Jes 8, 8b. 9–10 und Jes 9, 1–6 einer messianisch-eschatologischen Überarbeitung zuordnet. Zwar weisen Jes 8, 8b und 8, 10 das Immanuel-Moment auf, und Jes 9, 1–6 ist mit Jes 7, 14 kraft des Motivs 'Geburt' verbunden. Dennoch sind die Texte ob ihrer Disparatheit kaum ein und derselben Hand zuzuweisen. Es bestehen untereinander keine terminologi-

---

[33] O. Kaiser, Jesaja I, 117–120.

[34] Die ersten vier Auflagen können in dieser Frage außer acht gelassen werden, da O. Kaiser in der 5. Auflage (1981) eine völlig neue Position bezogen hat.

[35] W. Werner, Eschatologische Texte, 18.

[36] O. Kaiser, Jesaja I, 153.

[37] Siehe dazu W. Werner, Eschatologische Texte, 18 f.

13

schen Brücken, und zumindest in Jes 8,10 wird das 'Gott mit uns' in einem anderen Sinn als in Jes 7,14 verwendet. Immerhin hat der für Jes 8,8b Verantwortliche den Immanuel mit einer notvollen Zeit in Verbindung gebracht, und er bezeugt damit auf seine Weise die schon in der inneralttestamentlichen Exegese vorhandenen Schwierigkeiten mit Jes 7,14."[38]

Zögert man so, sich den Ausführungen O. KAISERS anzuschließen, so könnten diese doch Anlaß sein, die Frage nach der sog. Denkschrift erneut aufzugreifen, weil er ja ganz und gar im Rahmen der Denkschrift argumentiert. Vielleicht ist die Stellung von Jes 7 in der Denkschrift doch anders zu sehen, als es traditionellerweise geschieht, aber auch anders, als O. KAISER dies tut. Das Faktum, daß in 7,1–17 ein Er-Bericht vorliegt, ist innerhalb der Denkschrift nun einmal anstößig und muß ernst genommen werden. Eine Umformung in einen 'ursprünglichen' Ich-Bericht ist wohl doch zu einfach.

Literarkritisch wirklich strittig sind in 7,10–17 eigentlich nur v. 15 und der Schluß von v. 16. Hier zeigt sich dann auch, welche Konsequenzen bestimmte Entscheidungen implizieren und wie sich Vorverständnisse auswirken. Bei v. 15 spricht einiges dafür, ihn aus dem ursprünglichen Text auszuscheiden als „eine dem v. 16a zugefügte Ergänzung, die unter umständlicher Hinzuziehung von v. 22b das Verständigwerden des Kindes mit dem Genuß von Milch und Honig erklärt"[39]. Sachlich stellt sich bei diesem Vers dann noch die Frage, ob „Butter und Honig" die Speise einer Heils- oder einer Unheilszeit ist, je nachdem wächst Immanuel in einer Heils- oder Gerichtszeit auf. Vom Vokabular her läßt sich diese Frage nicht eindeutig entscheiden,[40] somit kommt hier das je eigene Grund- bzw. Vorverständnis der Exegeten zum Tragen.

Gehört der Schluß von v. 16 „vor dessen beiden Königen dir graut" zum ursprünglichen Text, dann gehen das Nordreich und Aram einer Katastrophe entgegen. Das bedeutet dann für Juda, die

---

[38] W. Werner, Eschatologische Texte, 19. Siehe dazu auch noch ebd., 80f.

[39] H. W. Wolff, Frieden, 44. Siehe dazu auch B. Duhm, Jesaia, 75; W. McKane, Interpretation, 212f.

[40] Siehe dazu W. Werner, Eschatologische Texte, 134–138.

Angreifer im syrisch-efraimitischen Krieg werden ihr Ziel nicht erreichen, d. h. für Juda und Jerusalem brechen gute Zeiten an, und dies geschieht in Zusammenhang mit der Immanuelgeburt, sie ist demnach ein Heilszeichen. Anders verhält es sich, wenn der Schluß von v. 16 eine sekundäre Erweiterung ist. Denn dann wird das Land Juda verlassen sein, dann ist Juda die Katastrophe angesagt, und auch dies in Zusammenhang mit der Geburt des Immanuels; er ist demnach ein Gerichtszeichen.

Die hier anstehende Frage ist schwer zu entscheiden. Doch dürfte es eher wahrscheinlich sein, daß der Schluß von v. 16 sekundär ist, nicht zuletzt weil der Stil dieser Schlußbemerkung nicht der beste ist.

„Der Zusatz am Ende von V. 16 deutet das Zeichen fälschlich auf Aram und Nordisrael, obwohl die Verbindung »Ackerboden, vor dessen zwei Königen dir graut« sprachlich und sachlich unmöglich ist. Auch wenn man Am 3, 2 berücksichtigt, wo das bebaute Land der ganzen Erde gemeint ist, hätte es zumindest heißen müssen: »Ackerboden, der den zwei Königen gehört, vor denen dir graut«." [41]

Auf Grund der asyndetischen Verbindung von v. 16 und v. 17 ist anzunehmen, daß in beiden Versen Parallelaussagen vorliegen, bzw. der eine Vers den anderen expliziert. [42] Wird in v. 17 Juda Unheil angedroht, dann sollte dieselbe Aussage auch für v. 16 postuliert werden, was zur Folge hat, daß der Schluß von v. 16 ein späterer Nachtrag ist. [43]

Wer ist Immanuel?

Daß die Immanuelverheißung in nachexilischer Zeit messianisch verstanden wurde, ist bereits bei der Behandlung von 9, 1–6 erwähnt worden. Doch hier stellt sich die Frage, wie 7, 14 im Rahmen seines ursprünglichen Kontextes zu verstehen ist. M. BUBER nennt die

[41] G. Fohrer, Jesaja I, 116 Anm. 58.

[42] Siehe dazu J. Lindblom, Study, 26, der freilich abweichend von der hier vertretenen Meinung annimmt, v. 17 berge Heil und dies dann auch für v. 16 postuliert.

[43] Zur Problematik von v. 15 f. siehe R. Kilian, Verheißung, 37–46; ders., Prolegomena, 207–210.

Prophetie von der Immanuelgeburt die wohl umstrittenste Stelle des Alten Testaments.[44] Daß in Anbetracht dieser Sachlage hier keine detaillierten Einzelerörterungen vorgelegt werden können, ergibt sich von selbst. So werden im folgenden nur die Ergebnisse der derzeit vertretenen Thesen aufgeführt, im übrigen wird auf die angegebene Literatur verwiesen.[45]

Nichtmessianisches Immanuelverständnis

Immanuel – ein Sohn des Ahas

Diese Erklärung identifiziert den verheißenen Immanuel mit Hiskia, dem Sohn des Königs Ahas. J. SCHARBERT begründet diese These so:

„1. In der Situation, aus der heraus Jahwes Wort an Achas ergeht, kann sich das Volk unter einem Kind, an dem man Jahwes machtvolle und helfende Gegenwart erfahren wird, nur einen Prinzen und späteren mächtigen König Judas vorstellen. – 2. Da die Feinde den Sturz der Dynastie beabsichtigen, muß der Immanuel ihnen zum Trotz gerade den Weiterbestand der Dynastie sicherstellen. – 3. Mit keinem Wort deutet der Prophet an, daß etwa Achas durch den Untergang seines Geschlechtes bestraft werden solle. – 4. Das hebräische Wort ᶜalmâh bezeichnet sonst im Alten Testament eine jungverheiratete Frau bzw. ein heiratsfähiges Mädchen, das bald Ehefrau wird und Kinder bekommt (Gen 24, 43; Spr 30, 19), oder ein Mädchen, das sich wenigstens nach der Liebe eines Mannes sehnt (Hl 1, 3; 6, 8), also nicht eine Frau, die ihr ganzes Leben lang Jungfrau bleibt; darum besteht das Zeichen nicht unbedingt in einer wunderbaren Geburt eines Kindes aus einer Jungfrau. – 5. Im ugaritischen Nikal-Text Zeile 7 finden wir eine ähnliche Aussage: »Die

---

[44] M. Buber, Glaube, 201.
[45] Siehe dazu R. Kilian, Verheißung, 59–104; J. J. Stamm, Prophétie; ders., Die Immanuel-Weissagung. Ein Gespräch mit E. Hammershaimb; ders., Immanuelproblem; ders., Die Immanuel-Weissagung und die Eschatologie des Jesaja; ders., Immanuel-Perikope; ders., Die Immanuel-Perikope. Eine Nachlese; sowie die Kommentare von H. Wildberger und O. Kaiser samt den jeweiligen Literaturangaben.

junge Frau *(ģlmt)* wird einen Sohn gebären.« Der Text bringt die Freude darüber zum Ausdruck, daß das Geschlecht des göttlichen Königs nicht ausstirbt. Ähnlich dürfte Jesaja sagen wollen, daß das königliche Geschlecht, auf dem die göttliche Verheißung ruht, nicht ausstirbt, wie die Feinde es erwarten, sondern weiterlebt. Daß nur die junge Mutter genannt wird und sie auch dem Kinde den Namen gibt, ist nicht verwunderlich, da gerade die Geburt eines Thronfolgers ein entscheidender Tag im Leben des Volkes ist, wobei nun die Mutter des Kindes besondere Ehre erfährt, und da es auch sonst im Alten Testament häufig der Mutter obliegt, dem Kind seinen Namen zu geben. – 6. Weil im hebräischen Text das Wort ᶜalmâh den Artikel bei sich hat, muß es sich um die Frau handeln, die dem Achas nicht erst näher bezeichnet zu werden braucht, eben um die »junge Dame« schlechthin, die Frau, welche Achas erst vor kurzem geheiratet hat. Der Nominalsatz »sie hat empfangen« im Hebräischen und das folgende Partizip »und sie ist gebärend«, d. h. »sie ist im Begriff zu gebären«, sprechen für die Annahme, daß die ᶜalmâh bereits schwanger ist und daß die Geburt des Sohnes bald bevorsteht. Dann hätte Achas einige Monate zuvor geheiratet."[46]

Diese These, die damit rechnet, daß die Notsituation bald zu Ende sein wird, wird, wenn auch in Variationen, u. a. vertreten von M. Buber[47], J. Steinmann[48], J. Lindblom[49], S. Mowinckel[50], E. Vogt[51] und H. Wildberger, der feststellt: „Dann ist aber dem Schluß schwerlich auszuweichen, daß der Immanuel der Königssohn und die ᶜlmh die oder doch eine Frau des Ahas ist."[52]

Schwierigkeiten bereitet diesem Verständnis jedoch die Chronologie der judäischen Könige. Denn nach A. Jepsen ist Hiskia bereits 741 v. Chr. geboren,[53] so kann seine Geburt zur Zeit des syrisch-

---

[46] J. Scharbert, Propheten, 234 f. H. Haag, Jesaja 7, 14, 185, bringt ebenfalls die ᶜalmā mit dem Königshof in Verbindung. Da aber chronologische Schwierigkeiten eine Identifikation der ᶜalmā mit der Königin unmöglich machen, denkt er an „eine andere Dame vom Hof".

[47] M. Buber, Glaube, 200–208.

[48] J. Steinmann, Isaie, 89.

[49] J. Lindblom, Study, 18 f. 24.

[50] S. Mowinckel, He that Cometh, 110–119.

[51] E. Vogt, Sennacherib, 427.

[52] H. Wildberger, Jesaja I, 293.

[53] A. Jepsen/R. Hanhart, Chronologie, 38.

efraimitischen Krieges (734/733) nicht Gegenstand einer prophetischen Verheißung sein. Freilich ist die Chronologie der judäischen Könige im 8. Jh. v. Chr. nicht völlig eindeutig, so daß V. PAVLOV-SKÝ/E. VOGT annehmen können, daß Hiskia erst 735/732 v. Chr. geboren sei.[54]

Läßt man die nicht ganz eindeutige Chronologie aus dem Spiel, so bleiben allerdings noch inhaltliche Bedenken. Im Zeichenangebot von 7, 11 ist Jahwe noch der Gott des Ahas, in 7, 13 ist er nur noch der Gott des Propheten. Ahas hat sich geweigert, das angebotene Zeichen Jahwes anzunehmen, um seine eigenen Pläne weiterverfolgen zu können, er hat sich dem Gott der Daviddynastie verweigert. Der Prophet zieht ganz im Sinne von 7, 9b die sich daraus ergebenden Konsequenzen. Der Davidbund ist beendet!

Wie anders kann die Unterscheidung von „deinem" und „meinem Gott" gedeutet werden? Die Zeichen von 7, 11 und 7, 14 sind nicht dieselben, dazwischen ist Entscheidendes geschehen.[55] 7, 16 f.* machen schließlich deutlich, daß im Fehlentscheid des Ahas er und die Daviddynastie sich das Gericht zugezogen haben. Es geht nicht an, sich auf die Zusagen von 7, 5–9* zu berufen und zu postulieren, Jahwe müsse zu seinem Wort stehen, deshalb müsse auch das Zeichen von 7, 14 Hilfe und Rettung implizieren, wenn schon nicht für Ahas selbst, so doch für die Dynastie und das Volk. Denn dabei wird übersehen, daß die Zusagen von 7, 5–9 in 7, 9b ganz und gar an den Glauben gebunden sind, es sich also um bedingte Zusagen handelt. Der Plural in 7, 9b macht zudem deutlich, daß es nicht nur um Ahas persönlich geht, sondern auch um die Dynastie, so wie auch die Zusagen an David nicht nur ihm, sondern auch seinem Haus gelten. Ist in 7, 12 der Bruch bereits vollzogen, weil Ahas sich verweigert, ist in 7, 13 („mein Gott") die Konsequenz gezogen, dann ist es sehr unwahrscheinlich, daß in 7, 14 in der Ansage eines Ahassohnes der Bestand der Dynastie, Hilfe und Rettung zugesagt sein sollen, zumal auch 7, 16 f. anderes zum Ausdruck bringen.

[54] V. Pavlovský/E. Vogt, Jahre, 342.
[55] Gegen B. Duhm, Jesaia, 74; K. Marti, Jesaja, 76.

In mehreren Veröffentlichungen tritt J. J. STAMM dafür ein, Immanuel sei ein weiterer Jesajasohn.

„Für die profane (scil. Interpretation), wonach *ᶜalmā* die Frau und Immanuel ein Sohn des *Propheten* gewesen, läßt sich geltend machen, daß wir in Schear-Jaschub und Maher-Schalal Chasch-Bas bereits zwei seiner Söhne mit Namen kennen, deren Inhalt vom Auftrag ihres Vaters her geprägt ist; ihnen würde sich Immanuel leicht als dritter Sohn, mit einem ebenfalls prophetischen Namen einreihen. Dazu kommt, daß zwischen der Ankündigung der Geburt des Immanuel in Jes 7, 14 und derjenigen des Maher-Schalal Chasch-Bas in 8, 1–4 unverkennbare Parallelität besteht: Hier wie dort ist von der Mutter des Knaben nur in indirekt-feierlicher Weise die Rede, indem sie 7, 14 *hāᶜalmā* 'die junge Frau' und 8, 3 *hannĕbiʾā* 'die Prophetin' genannt wird. Hier wie dort ist die Geburt des Kindes mit einem Ausblick auf die Zerstörung von Damaskus und Samaria verbunden." [56]

Diese Interpretation vertreten u. a. auch G. HÖLSCHER [57], N. K. GOTTWALD [58], H. DONNER [59] und E. F. SUTCLIFFE, insofern er den Literalsinn des Textes zur Darstellung bringt [60].

Problematisch ist die These J. J. STAMMs deshalb, weil er zum Aufweis der Parallelität auch den Schluß von 7, 16 für authentisch halten muß. Zudem dürfte der Terminus *ᶜalmā* einzugrenzen sein durch den Eintritt der Geschlechtsreife und der Geburt des ersten Kindes. [61] Da Schear-Jaschub bereits seinen Vater in 7, 3 begleitet, kann die Frau Jesajas zu dieser Zeit nicht mehr als *ᶜalmā* bezeichnet

---

[56] J. J. Stamm, Die Immanuel-Weissagung und die Eschatologie des Jesaja, 447f.

[57] G. Hölscher, Profeten, 229f.

[58] N. K. Gottwald, Immanuel, 36–47.

[59] H. Donner, Israel, 17f.

[60] E. F. Sutcliffe, Immanuel Prophecy, 753–765.

[61] Siehe dazu L. Köhler, Verständnis, 50; J. Lindblom, Study, 18; O. Kaiser, Jesaja I, 153. Ganz anders dagegen G. Brunet, Essai, 35–100, der in der *ᶜalmā* eine Hierodule vermutet und ihr Schwangerwerden als Unheilszeichen deutet, das durch den Immanuelnamen und die Speise allerdings neutralisiert werde.

werden. Zu denken gibt auch, daß in 7, 3 und 8, 3 die Vaterschaft Jesajas deutlich zum Ausdruck kommt, in 7, 14 dagegen nicht. Legt sich da doch nicht die Annahme nahe, Jesaja habe den Vater dieses Kindes nicht gekannt? Darüber hinaus ist auch noch zu beachten, daß, wenn nicht die Empfängnis, so doch zumindest die Geburt des Maher-Schalal Chasch-Bas im syrisch-efraimitischen Krieg anzusetzen ist. Wie soll dann aber noch Empfängnis und Geburt des Immanuel im syrisch-efraimitischen Krieg untergebracht werden, so Immanuel ein weiterer Sohn Jesajas sein soll?[62]

Weitere Interpretationen

Außer den bereits genannten Deutungen bieten sich noch andere an, die allerdings keine sonderlich große Zustimmung gefunden haben und deshalb nur kurz erwähnt werden. Nach der kollektiven Interpretation „würden Frauen, die zur Zeit der Begegnung zwischen Prophet und König schwanger sind, bei der Geburt aus Freude über die Abwendung der Gefahr oder Entsetzen über die hereingebrochene Notzeit ihren Söhnen den Namen Immanuel geben. Diese Kinder müßten dann, wenn sie zu Zeichen für den König werden sollten, Ahas begegnen und ihn an die ihm gegebenen und von ihm in den Wind geschlagenen Verheißungen und Mahnungen erinnern"[63].

L. G. RIGNELL[64] und H. KRUSE[65] verstehen den Immanuel als das neue Israel, als den zukunftträchtigen Rest, der Gott mit sich hat. Die ᶜalmā ist dann die symbolische Zionsgestalt. Diese Zionssymbolik soll uralt und ganz geläufig gewesen sein, so „daß der König, wenn er den Propheten in einem höchst feierlichen und geheimnisvollen Orakel von 'der Maid' reden hörte, kaum auf einen ande-

---

[62] Siehe dazu R. Kilian, Verheißung, 80 ff.

[63] O. Kaiser, Jesaja I, 154 f. Diese These vertreten B. Duhm, Jesaia, 74 f.; K. Marti, Jesaja, 76; L. Köhler, Verständnis, 5. 48 ff.; G. Fohrer, Neuere Literatur, 225; ders., Zu Jesaja 7, 14, 167 ff.

[64] L. G. Rignell, Immanuelszeichen, 99–119.

[65] H. Kruse, Alma Redemptoris Mater, 15–36.

ren Gedanken kommen konnte, als den, daß eben die 'Tochter Sion' gemeint sein mußte"[66]. In dem so verstandenen Immanuel soll dann keimhaft auch noch der Messias enthalten sein. „Die Person des Messias ist nicht unmittelbar und primär als solche vorausgesagt, aber keimhaft eingeschlossen in seiner Wurzel, und dies nicht im typischen oder sonstwie geistlichen Sinn, sondern im Wortsinn."[67]

Teils auf eine Identifikation des Immanuel mit einem Sohn des Ahas, teils auf ein messianisches Verständnis hinaus laufen jene Interpretationsversuche, die sich zur Erhellung von 7, 14 auf mythische Texte der Umwelt Israels stützen. Hat man sich früher dabei vor allem auf hellenistische Vorstellungen berufen,[68] so zieht man neuerdings die Texte von Ugarit heran.[69] Will man freilich Jes 7, 14 mit Hilfe von mythologischen Vorstellungen einer Klärung zuführen, dann würde sich dafür die ägyptische Mythologie weit mehr empfehlen als die hellenistische, babylonische oder ugaritische, zumal sich auch sonst ägyptische Elemente im judäischen Krönungszeremoniell nachweisen lassen.[70] Ein Rückgriff auf den ägyptischen Mythos vom Gottkönigtum des Pharao wäre allerdings nur dann angebracht, wenn der Name Immanuel die Göttlichkeit des Kindes zum Ausdruck bringen wollte. Das ist jedoch nicht der Fall. Der Vertrauensname Immanuel kann aus der israelitischen Tradition hergeleitet werden, z. B. aus der Jahwe-Krieg-Tradition.

[66] H. Kruse, Alma Redemptoris Mater, 27.

[67] H. Kruse, Alma Redemptoris Mater, 35.

[68] So R. Kittel, Mysterienreligion, bes. 12–15; E. Norden, Geburt, 51 ff.; A. von Bulmerincq, Immanuelweissagung, 5–17.

[69] So E. Hammershaimb, Immanuel Sign, 124–142; I. Engnell, Studies, 97–173; H. Ringgren, Messiah, 25–27; S. Mowinckel, He that Cometh, 110–119; J. Scharbert, Propheten, 235. Siehe dazu auch J. J. Stamm, Die Immanuel-Weissagung. Ein Gespräch mit E. Hammershaimb, 20–33.

[70] Siehe dazu G. von Rad, Königsritual, 205–213; S. Herrmann, Königsnovelle, 51–62; H. Brunner, Gerechtigkeit, 426–428; H. Wildberger, Thronnamen, 56–74.

Daß in Immanuel der Messias verheißen wird, findet sich nicht nur in der Tradition, sondern auch in der neueren Exegese. Vertreter dieser These sind u. a. J. HEMPEL[71], N. PALMARINI[72], H. GROSS[73], V. HERNTRICH[74], W. VISCHER[75], R. TOURNAY[76], H. JUNKER[77], F. L. MORIARTY[78], Št. PORÚBČAN[79], E. F. SUTCLIFFE, wenn er den gefüllteren und vollkommeneren Sinn der Immanuelverheißung erhebt,[80] und M. REHM[81]. Zwar vertritt auch O. KAISER den eschatologisch-messianischen Charakter von 7,14, aber er unterscheidet sich von den bisher genannten Autoren dadurch, daß er die Immanuelverheißung Jesaja abspricht und als nachdeuteronomistisch bestimmt.[82] Zu dieser Zeit dürfte der Text, der m. E. jesajanisch ist, in der Tat messianisch verstanden worden sein.

Nicht selten wird 7,14 mit den messianischen Texten 9,1–6 und 11,1–9 in Verbindung gebracht. Wenn schon 7,14 allein kein messianisches Zeugnis ablegt, so doch in verein mit den beiden anderen Stellen. So N. LOHFINK:

„Ans Ende der Denkschrift setzt Jesaja dann sein großes Bild vom Licht und vom Frieden der Zukunft. Und wenn darin zentral der Geburtsjubel steht: »Ein Kind wird uns geboren, ein Sohn wird uns geschenkt, auf dessen Schultern die Herrschaft ruht ... Groß ist die Herrschaft und endlos der Friede auf Davids Thron, in Davids Reich ...« (Is 9, 5f.) – dann müssen wir an-

---

71 J. Hempel, Worte, 127f.
72 N. Palmarini, Emmanuelis prophetia, 321–334.
73 H. Groß, Weltherrschaft, 80f.; ders., Verheißung, 102–104.
74 V. Herntrich, Jesaja, 126–136.
75 W. Vischer, Immanuel-Botschaft, bes. 52ff.
76 R. Tournay, L'Emmanuel, 249–258.
77 H. Junker, Ursprung, 193–207.
78 F. L. Moriarty, Emmanuel Prophecies, 226–233.
79 Št. Porúbčan, The Word ʾôt, 156–159.
80 E. F. Sutcliffe, Emmanuel Prophecy, 753–765.
81 M. Rehm, Messias, 80–82. 110–121. Hier finden sich auch weitere Literaturhinweise.
82 O. Kaiser, Jesaja I, 117–120. 152. 158–163.

nehmen, daß hier Jesaja selbst sein Immanuelwort endzeitlich deutet. Er verbindet das große, endgültige Heil der Zukunft mit der von Gott geliebten und geschützten Davidsdynastie. Und wenn das aus Is 9 noch nicht voll hervorgehen sollte, dann entspricht es sicher der Intention der Jesajajünger, die später aus der Denkschrift und aus anderen Texten ihres Meisters das jetzige Jesajabuch zusammenstellten und dabei kurz hinter der Denkschrift ein eschatologisches Gedicht unterbrachten, das mit den Worten beginnt: »Ein Reis wird hervorwachsen aus dem Wurzelstumpf Isais, ein Schößling bricht aus seinen Wurzeln hervor« (Is 11, 1 ff.).« [83]

Was hier bei N. Lohfink anklingt, ist schließlich voll entfaltet bei J. Coppens.[84] Er versteht die drei Verheißungen von Jes 7; 9 und 11, die allesamt jesajanisch sein sollen, in der Art eines Triptychons: Jes 7 stellt die Epoche vor der Geburt des Messias dar, Jes 9 die Zeit nach der Geburt und Jes 11 die Epoche seiner Herrschaft.[85] Wenn nun allerdings mit großer Wahrscheinlichkeit Jes 9, 1–6 und 11, 1–9 die Jesajanität abzusprechen ist, dann geht es nicht an, Jes 7, 14 von diesen beiden Texten her zu interpretieren. Aber selbst wenn man an der Authentizität aller drei Texte festhält oder wenn man etwa mit O. Kaiser alle drei Texte der späteren eschatologischen Prophetie zuordnet, ist es immer noch fraglich, ob diese drei Texte in so enge Beziehung zueinander gebracht werden dürfen, daß sich daraus der messianische Charakter des Immanuel ableiten läßt.

Legitimerweise dürfen nämlich bei der Klärung der Aussage von 7, 14 die beiden anderen Texte nur dann herangezogen werden, wenn vorher feststeht, daß der Angekündigte in allen drei Verheißungen ein und derselbe ist. Nur wenn sich wahrscheinlich machen läßt, daß auch in 7, 14 der Messias verheißen ist, kann man sich bei der weiteren Interpretation auf die beiden anderen oder wenigstens auf einen dieser Texte stützen. Ist jedoch die Messianität von 7, 14, für sich allein genommen, nicht gesichert, dann dürfte nur dann auf

---

[83] N. Lohfink, Bibelauslegung, 201.

[84] J. Coppens, Prophétie d'Emmanuel, 39–50; ders., Prophétie de la ᶜAlmah, 648–678; ders., L'Interpretation d'Is, VII, 14, 31–45.

[85] J. Coppens, Prophétie d'Emmanuel, 48. Ähnlich übrigens auch schon F. Delitzsch, Jesaia, 143, der Jes 7; 9; 11 als „unzerreißbare Trias, ein Dreigestirn von Trostbildern" bestimmt.

die beiden anderen Texte zurückgegriffen werden, wenn wenigstens einer dieser Texte eine direkte Beziehung zu 7, 14 aufweisen würde. Findet sich in den beiden Texten keine Bezugnahme auf den Immanuel oder die ᶜālmā oder auf ein anderes Charakteristikum von 7, 10–17 und bezieht sich dieser Text selbst nicht unmißverständlich auf die beiden anderen, dann kann man die eine Stelle nicht unter Zuhilfenahme der anderen erklären. Da nun weder die Messianität von 7, 14 im voraus gesichert ist noch gegenseitige Bezugnahmen nachzuweisen sind, ist es methodisch unzulässig, den Immanuel von 9, 1–6 oder 11, 1–9 her zu interpretieren. Der Hinweis auf die Geburt des Kindes allein reicht nicht aus. Denn wenn schon auf Grund des Namens *Gott-mit-uns* in 7, 10–17 auch eine heilvolle Situation angezeigt sein soll, dann könnte es sich in 7, 14 immer noch um die Geburt eines Retters in der Art von Ri 13, 3–5 handeln. Eine Rettergestalt ist aber noch lange keine messianische Gestalt.

„Denn zunächst einmal gehört zur Messiasgestalt im strengen Sinn ein Dreifaches: 1. daß sie eine Königsgestalt ist; 2. daß sie Heil bringt; 3. daß mit ihr die Endzeit anbricht, kurz, unter dem Messias verstehen wir den eschatologischen Heilskönig. Alle drei Bestimmungen sind hier wenigstens undeutlich." [86]

Zudem unterscheiden sich 9, 1–6 und 11, 1–9 von 7, 10–17 gerade auch darin, daß in Kap. 9 und 11 die Not der Geschichtswelt zu Ende geht, während dies in 7 nicht der Fall ist. So ist J. J. STAMM beizupflichten, wenn er meint, „daß auch in der Immanuel-Perikope die Not der dann durch kein weiteres Gericht mehr abgelösten Friedenszeit vorausgehen müßte, wenn jene zu Recht messianisch aufgefaßt wurde" [87].

Streicht man v. 15 und den Schluß von v. 16 als spätere Zusätze – und das mit guten Gründen –, dann entfällt jegliche Heilszusage in 7, 14–17 mit Ausnahme des Immanuelnamens, dessen Inhalt bezeichnenderweise jedoch nicht entfaltet wird, und dann ist 7, 14. 16f. als reines Gerichtswort zu verstehen. Das entspricht auch

---

[86] H. W. Wolff, Frieden, 48.

[87] J. J. Stamm, Die Immanuel-Weissagung und die Eschatologie des Jesaja, 450f.

am ehesten der Situation, die durch die Weigerung des Ahas in v. 12 entstanden ist. Könnte man den Namen Immanuel mit Th. Lescow als Hilferuf oder gar als „elementaren Notschrei" verstehen,[88] dann wäre der Gerichtscharakter der Perikope noch eindeutiger. Es ist aber doch wahrscheinlicher, daß Immanuel ein Vertrauensname ist. Hält man v. 15 und den Schluß von v. 16 für jesajanisch, dann wird in verein mit dem Immanuelnamen häufig angenommen, die Weissagung habe ambivalenten Charakter: Gericht für Ahas – Heil für jene, die glauben, Heil für den Heiligen Rest.[89]

Die bisherigen Ausführungen mögen gezeigt haben, daß es bei der Frage nach Immanuel ganz offensichtlich keine Übereinstimmung gibt und sich auch keine anbahnt. So wird man sich vielleicht doch mit der Feststellung H. W. Wolffs begnügen müssen, daß in der Verkündigung Jesajas um Mutter und Kind ein Geheimnis bleibt, „mindestens für die Hörer, wahrscheinlich auch für den Propheten selbst. Insbesondere ist die Frage, ob dieses Kind zum Davidshaus gehört, überhaupt nicht gestellt. Es wäre verfehlt, sie von 9,5 f. und 11,1 her heranzutragen"[90]. Doch dürfte auch dies deutlich geworden sein, daß nämlich der messianische Charakter von 7,14, so der Text jesajanisch sein soll, höchst unwahrscheinlich, m. E. überhaupt nicht vertretbar ist. Diese These läßt sich bei der Frage nach dem Rest in der Verkündigung Jesajas noch weiter erhärten, weil sich da zeigen läßt, daß Jesaja keinen Rest kennt, der umkehrt und gerettet wird.

Als Fazit der Frage nach dem Messias in der Verkündigung Jesajas ergibt sich somit, daß Jesaja selbst keine Messiasgestalt und kein messianisches Heil verkündet hat. Denn die Immanuelperikope

---

[88] Th. Lescow, Geburtsmotiv, 176. 180.

[89] So z. B. O. Procksch, Jesaia, 122; H. Junker, Ursprung, 186–188; G. von Rad, Theologie II, 183 f.; H. W. Wolff, Frieden, 45 ff.; H. Wildberger, Jesaja I, 294 f.; K. Seybold, Königtum, 78; H. Barth, Jesaja-Worte, 49–54. – Die u. a. von E. Hammershaimb, Immanuel Sign, 137 f.; J. Lindblom, Study, 27, und W. McKane, Interpretation, 215, vertretene These, 7,14–17 berge überhaupt nur Heilvolles, hat keinen Anklang gefunden.

[90] H. W. Wolff, Frieden, 40. So auch G. Delling, Mutter, 829, und schon H. Greßmann, Messias, 240.

7,10–17 birgt keinen Messias und die Texte 9,1–6 und 11,1–9, in denen in der Tat vom Messias die Rede ist, gehen nicht auf Jesaja selbst zurück, sondern sind der nachexilischen eschatologischen Prophetie zuzuweisen.

II. DER REST IN DER VERKÜNDIGUNG JESAJAS

Da Jesaja einerseits Gerichtsprophet ist, er andererseits aber auch Heil verkündet haben soll, stellt sich immer wieder die Frage nach der Vereinbarkeit von Gerichts- und Heilsbotschaft. Sucht man neuerdings diese Problematik dadurch zu lösen, daß eine Zukunftserwartung Jesajas insofern möglich ist, als sie de facto eine Gegenwartskritik sei,[1] so besteht die schon fast klassische Lösung in der Annahme, Jesaja habe über seine Gerichtspredigt hinaus einem gläubigen Rest künftiges Heil angesagt. „Mit dem Begriff des Restes hat Jesaja – und wieder steht er damit allein da – die Klammer gefunden, die verhindert, daß Gerichtsankündigung und Heilsansage auseinanderbrechen."[2] W. E. MÜLLER kommt in seiner Untersuchung zur Restvorstellung im Alten Testament zu dem Ergebnis, daß die jesajanische Ansicht über den Rest offenbar zu verschiedenen Zeiten unterschiedlich gewesen ist.

„a) Zu Beginn seiner Tätigkeit erwartet der Prophet keinen Rest. b) Angesichts der Ereignisse von 734/33 stellt er einen Rest in Aussicht. c) Diese Hoffnung ist im Hinblick auf den fortschreitenden Verfall zwar sehr bald wieder stark hinter der Gerichtspredigt zurückgetreten, aber nie völlig verschwunden, was am Läuterungsgedanken und an den noch zuletzt begegnenden Ausdrücken ns und śrîd ersichtlich wird."[3]

Nun finden sich in der Tat in Jes 1–39 Texte, die bezeugen, „daß im kommenden Gericht ein 'Rest' des Volkes bewahrt wird, der den Grundstein eines neuen Volkes bildet (Jes 4,2–6; 6,13bβ; 7,22;

---

[1] Siehe dazu H. J. Hermisson, Zukunftserwartung, 54–77, und H. Barth, Jesaja-Worte, 52 f.

[2] H. Wildberger, Jesajas Verständnis, 102. Siehe dazu auch schon H. Dittmann, Rest, 603–618; H. Donner, Israel, 121.

[3] W. E. Müller/H. D. Preuß, Rest, 61. Der Terminus *nes* (Signalmast) findet sich 30,17, *śarîd* (Entronnener) in 1,9.

10, 20–23; 11, 11–16; 28, 5; 37, 30–32)"[4]. Aber diese Texte entstammen samt und sonders der nachexilischen Zeit, wie W. WERNER ausführlich und überzeugend jetzt noch einmal dargelegt hat. Diese Texte bezeugen zudem nicht einmal mehr „die Eschatologie der ersten Stunde, denn nirgendwo wird unter dem Rest die Gola des Exils verstanden. Statt dessen meinen die verschiedenen Termini für 'Rest' die Diaspora (Jes 11, 11–16), Juda im Unterschied zu Samaria/Israel (Jes 28, 5–6), die in den endzeitlichen Wirren bewahrten Bewohner Jerusalems (Jes 37, 30–32) oder die Gruppe der Rechtgläubigen innerhalb des jerusalemisch-jüdischen Gemeinwesens (Jes 4, 2–6; 10, 20–23)"[5].

Berücksichtigt man die authentischen Jesajatexte, wo terminologisch oder sachlich von einem Rest die Rede ist (14, 30, 17, 3. 6; 30, 17.–1, 4–9. 21–26 und 7, 3 seien vorerst zurückgestellt), so ergibt sich ein eindeutiges Bild. In 14, 30 wird der Rest der Philister vollends erwürgt. 17, 1–6 droht Damaskus und Israel die völlige Vernichtung an. Was in 30, 17 von den Judäern noch übrig bleibt, ist in Wahrheit nur ein wertloser einsamer Rest nach sinnloser Flucht, der nur mehr die Funktion hat, die absolute Niederlage zu bezeugen. Will man noch 6, 11–13bα hinzunehmen, so ändert sich auch nichts. Alles, was übrig bleibt, verfällt dem Gericht. Der Rest oder das Übriggelassene haben bei Jesaja keine Lebenskraft und keine wirkliche Existenzmöglichkeit mehr, sie sind Überbleibsel eines katastrophalen Gerichts. Daß sich der Rest gar gesinnungsmäßig von den bereits Dahingerafften unterscheide, etwa glaube oder sich bekehre, ist nicht einmal angedeutet.

Anders soll es sich nun allerdings mit dem Namen Schear-Jaschub in 7, 3 verhalten. Von B. DUHM, K. MARTI und O. PROCKSCH bis zu H. W. WOLFF, S. HERRMANN und H. WILDBERGER zieht sich die Meinung hin, daß dieser Name eine Hoffnung auf Zukunft berge.

„Er soll seinen Sohn mitnehmen, dessen Name 'Ein Rest bekehrt sich' sowohl die Hoffnung wie das Gericht ausspricht."[6]

[4] W. Werner, Eschatologische Texte, 89.
[5] W. Werner, Eschatologische Texte, 146. Siehe dazu auch ebd., 89–147.
[6] B. Duhm, Jesaia, 71.

„Er bedeutet: das Gericht kommt, aber ein Rest bekehrt sich. Das Gericht ist ja nicht das Ende Gottes: zu dem Neuen, das Gott ins Werk setzt, gehört, wer ‚sieht' und ‚hört' oder, wie 7, 9 sagt, wer ‚glaubt'." [7]

„Denn sein Name 'Restkehrtum' hat prophetischen Klang; sein Grundgedanke beherrscht die gesamte Prophetie Jesaias. Schon die Berufung (c. 6) läßt die Möglichkeit der Umkehr eines Restes offen, wenn auch im Halbdunkel (v. 12 f.). Der Name ist doppelsinnig: 'Nur ein Rest' und 'Doch ein Rest'. Ursprünglich ist der erste Sinn betont; jetzt aber der zweite, da Achaz Mut eingesprochen werden soll. Der Rest Israels gilt in diesem Augenblick als in Juda verkörpert . . ., während Ephraim dem Untergange geweiht ist." [8]

Nach H. W. WOLFF setzt die Botschaft „Ein Rest kehrt zurück!" eine Schlacht voraus, „ja, eine Niederlage, eine Dezimierung der Truppen. *Nur* ein Rest kehrt zurück! Und doch: für eben diesen *Rest* besteht Hoffnung, er wird gerettet, er kehrt zurück. Offenbar kommt es auf die Ohren an, die hier hören, ob sie Gericht oder Heil vernehmen. Was für das Ganze Drohung ist, bedeutet für einen Teil Verheißung." Aber wer ist der Rest?

„Es sieht so aus, als frage die Mehrdeutigkeit des Subjekts 'Rest' nach dem Glauben des Hörers. Das wird noch deutlicher, wenn man daneben die Zweideutigkeit des Prädikats *jaschub* bedenkt. In der Sprache Jesajas ist die Aussage von der Rückkehr aus der Schlacht, die mit dem eigentümlichen Subjekt 'Rest' nahegelegt ist, begleitet von der anderen Aussage einer Umkehr zu Jahwe. In diesem Sinn hat der Leser der Denkschrift das Wort noch aus dem unmittelbar vorausgehenden Berufungsbericht in 6, 10 in Erinnerung. So wird es Jesajas Thema bis in seine späten Tage bleiben (30, 15). Alle, die zu Jahwe zurückfinden, sind der Rest. Die zu Jahwe zurückkehren, überleben das Gericht. Diese prophetische Doppelsinnigkeit will gehört sein, die die Rückkehr aus der Schlacht denen verheißt, die zu Jahwe zurückkehren. Der Rest der Umkehrenden wird der Rest der Entronnenen sein. So ist die Parole, die mit dem Namen des Jesajasohnes vor dem König erscheint, Ruf zur Entscheidung, zur glaubenden Hinwendung zu Jahwe. Sie ist als Einladung zur Umkehr Verheißung der Rettung. Sie ist in ihrer Einschränkung auf einen Rest begleitet vom Unterton der Gerichtsdrohung. Sie ist in-

[7] K. Marti, Jesaja, 72.
[8] O. Procksch, Jesaia, 113.

sofern mit der zwiegesichtigen Sachlichkeit ihrer Aussage eine ultimative Einladung."[9]

Über das eben Zitierte hinaus bringt H. W. Wolff dann auch noch den *Rest* in Verbindung mit dem *'mit uns'* des Immanuel. Immanuel ist zwar Sturmzeichen für Ahas und die Seinen, aber

„für einen engeren Kreis wird der 'Gott-mit-uns' dauerhaftes Heilszeichen sein. Zum erstenmal sehen wir, daß sich bei Jesaja ein innerer Kreis abzeichnet, der bisher nur symbolisch in der Gestalt des 'Rest-kehrt-um' in Erscheinung trat. In diesem Symbolnamen fanden wir die Frage noch offen und Entscheidung heischend vor Achas hingestellt: Wer ist der Rest, der sich zu Jahwe bekehrt und aus der Vernichtungsschlacht zurückkehrt? Jetzt lautet im neuen Zeichen die Antwort: Der Rest, das sind 'wir', die Immanuel-Sippe, die dem Kind den Namen gibt, die im Vertrauen bekennt, was Achas trotz ultimativer Vermahnung (V. 9b) nicht aussprechen wollte. Am Ende der Denkschrift wird dieser Kreis der Jasajajünger noch deutlicher werden (8, 16. 18). Es sind die, die das prophetische Wort auf seine Erfüllung hin mit Glauben bewahren (vgl. Jes 28, 16)"[10].

Auch S. Hermann versteht *Rest-kehrt-um* im Sinne einer Umkehr zu Gott, also als eine Sinnesänderung.[11] Und indem er Jes 30, 15 mit 7, 1 ff. zusammenliest, wird für ihn deutlich, wer mit dem Rest bei Jesaja und insbesondere in 7, 3 ff. gemeint ist.

„Er setzt sich zusammen aus denen, die sich nicht fürchten, die ruhig sind, die 'glauben' und darum auch 'bleiben' werden. Hier zeigt sich, welche Vertiefung der Restgedanke bei Jesaja erfährt. Er versteht den Rest nicht als politisch-militärische Größe allein, sondern zugleich als den Träger einer religiösen Gewißheit. Jesajas Rest setzt sich aus denen zusammen, die Jahwe glauben."[12]

Da sich für A. H. J. Gunneweg im Alten Orient und im alten Israel Name und Namensträger nicht trennen lassen, einer also so ist, wie er heißt, bedeutet das für ihn: „Schear-Jaschub heißt also nicht nur so, sondern ist selber Teil jenes schon in Israel existieren-

---

[9] H. W. Wolff, Frieden, 17f.

[10] H. W. Wolff, Frieden, 43.

[11] S. Herrmann, Heilserwartungen, 129. So auch R. de Vaux, Reste d'Israel, 25–39.

[12] S. Herrmann, Heilserwartungen, 130. F. Dreyfus, Art. Rest, 566, identifiziert den Rest mit der um den Messias versammelten Gemeinde.

den Restes, der umkehrt."[13] Eine solche Schlußfolgerung ist freilich fragwürdig. Denn in Jes 8, 1–4 ist der andere Jesajasohn, Eilebeute-Raubebald, doch gewiß nicht Teil jener in seinem Namen angezeigten Wirklichkeit, er ist durch seinen Namen nur Zeichen für das, was schon bald über Damaskus und Samaria hereinbrechen wird. Ist das in Jes 8, 1–4 sicher der Fall, dann kann in Jes 7, 3 nicht ausgeschlossen werden, daß Schear-Jaschub eben auch nur ein Zeichen dafür ist, was geschehen wird. Somit geht aber aus dem Namen Schear-Jaschub nicht eindeutig hervor, daß in Juda schon ein Rest besteht, der umkehrt.

Kann man sich so der Argumentation von A. H. J. GUNNEWEG nicht anschließen, so sind die Ausführungen von H. W. WOLFF und S. HERRMANN doch theologisch so ergiebig und schön, ihre Stimmigkeit so suggestiv, daß man ihnen kaum zu widersprechen wagt. Doch können sie trotzdem nicht überzeugen. Denn der Rest-Befund bei Jesaja ist zu eindeutig, er läßt solche Kombinationen und Schlußfolgerungen nicht zu. Wenn feststeht, daß Jesaja weder vor noch nach den Ereignissen des syrisch-efraimitischen Krieges einen zukunftsträchtigen Rest verkündet hat, und wenn der Name Schear-Jaschub im Zusammenhang von 7, 1–9 ganz im Sinne von 30, 17 interpretiert werden kann – 30, 15 darf nämlich nicht isoliert betrachtet, sondern muß in der Einheit 30, 15–17 gelesen und verstanden werden –, dann sollte man von dieser Interpretation nur abweichen, wenn der Text von 7, 1–9 ein anderes Verständnis erzwingen sollte. Das ist jedoch nicht der Fall. So muß der Name Schear-Jaschub als Mahnung bzw. Drohung verstanden werden. Wenn Ahas weiterhin seine eigenen Wege, die des politisch klugen Taktierens, der Bündnispolitik mit Assur gehen will, dann wird – und das ist eben im Namen Schear-Jaschub ausgesagt – nur noch ein kümmerlicher, lebensunfähiger Rest übrig bleiben. Der drohende Name Schear-Jaschub, der die Folgen der Fehlentscheidung des Königs vorwegnimmt, und die explizite Warnung von 7, 9b sollen Ahas zur rechten Einsicht bringen.[14]

[13] A. H. J. Gunneweg, Heils- und Unheilsverkündigung, 28.

[14] Siehe dazu auch noch die ausführliche Begründung bei R. Kilian, Verheißung, 47–53, und ders., Prolegomena, 210–214.

Ein besonderes Problem bei der Frage nach der Restvorstellung Jesajas stellt sich in den Texten Jes 1, 4–9 und 1, 21–26, die bislang zurückgestellt wurden. Denn hier scheint doch jeweils eine Größe auf, die dem Gericht entronnen ist oder entrinnen wird. So meint H. WILDBERGER zu 1, 8f.: „Die heiße Hoffnung Jesajas, daß die Entronnenen zu einem 'Rest, der umkehrt' . . . werden möchten (7, 3), ist offensichtlich der eigentliche Grund, warum Jesaja dieses Wort gesprochen hat." [15] Dem ist entgegenzuhalten, daß in 1, 8f. die übriggebliebene Tochter Zion – „wie ein aus vernichtender Niederlage *entronnener* Flüchtling und also nicht wie ein sorgsam geschonter oder gar heiliger Rest" [16] – bezeugt, wie furchtbar das bisherige Gerichtshandeln war. Aber auch der jetzt noch übrig gelassene Entronnene ist noch nicht endgültig gerettet. Denn auch er ist gekennzeichnet durch die Einleitung (1, 4) des Scheltwortes 1, 4–9: „Wehe dem sündigen Volk, den schuldbeladenen Leuten, der Brut von Übeltätern, den verderbten Söhnen. Sie haben den Herrn verlassen, den Heiligen Israels verschmäht, sich abgewendet." Im Zusammenhang mit dieser charakterisierenden Einleitung der Angesprochenen deutet in 1, 9 gar nichts darauf hin, daß es sich hier um einen zukunftsträchtigen, heilvollen Rest handelt. [17]

Ja so kann man in der Tat argumentieren, [18] und man ist dabei vielleicht nicht einmal im Unrecht, zumal dann, wenn man diesen Text mit G. FOHRER und anderen im Jahr 701 v. Chr. ansetzt. [19] Freilich ist das nicht absolut sicher, auch nicht die Authentizität, obwohl H. WILDBERGER eigens feststellt, daß die „Echtheit unbestritten ist" [20]. Aber gerade hier zeichnet sich in der neueren Literatur eine Wende ab. So meint F. CRÜSEMANN, „daß in V. 9 ein Zusatz vorliegt, in dem die Stimme der späteren Gemeinde erklingt" [21].

---

[15] H. Wildberger, Jesaja I, 27.

[16] G. Fohrer, Jesaja I, 30.

[17] Siehe dazu G. Fohrer, Jesaja 1 als Zusammenfassung, 153–155.

[18] Siehe dazu R. Kilian, Verheißung, 49.

[19] Siehe dazu G. Fohrer, Jesaja 1 als Zusammenfassung, 153; H. Wildberger, Jesaja I, 20.

[20] H. Wildberger, Jesaja I, 20.

[21] F. Crüsemann, Hymnus und Danklied, 164.

H. Barth weist zwar auch noch wie F. Crüsemann 1, 4–8 Jesaja zu und vermutet als historischen Hintergrund den Feldzug Sanheribs im Jahre 701 v. Chr., v. 9 bringt er jedoch mit der exilischen Situation in Zusammenhang.[22] Anmerkungsweise hatte zuvor schon H.-J. Krause vorgeschlagen, man solle bei 1, 8f. doch erwägen, „ob diese Verse nicht später von einem Redaktor hinzugesetzt worden sind, um die Totalität der Unheilsankündigung des Jesaja abzumildern"[23]. Diese Anregung greift J. Vermeylen auf und trennt 1, 7bβ–9 von 1, 4–7bα ab. 1, 7bβ–9 bestimmt er als nachexilischen Zusatz, der den älteren vorexilischen Text in der Tat abmildern soll, nur ist für ihn 1, 4–7bα nicht mehr jesajanisch, weil sich darin keine überzeugenden Parallelen zur Botschaft Jesajas ausmachen lassen, wohl aber welche zu den Reden Jeremias und der deuteronomischen Schule, so daß ein Zeitgenosse Jeremias der Verfasser sein dürfte.[24] Für O. Kaiser liegt in den vv. 4a. 5. 6* der älteste Kern des Stückes vor, der sich gegen „den Trotz der Überlebenden der Katastrophe von 587 v. Chr." richtet. Auf einen späteren Bearbeiter geht v. 7f. zurück, darauf folgen noch zwei Erweiterungen, v. 4b und v. 9.[25] Da so die älteste Partie bereits exilischer Herkunft ist, scheidet Jesaja als Verfasser von 1, 4–9 auf jeden Fall aus.

Auf Grund der sachlichen Aussagen, der verwendeten Bilder und der Terminologie siedelt W. Werner Jes 1, 4–9 in der nachexilischen Zeit an.[26] Eine jesajanische Verfasserschaft ist sicher auszuschließen. Anders als die zuvor genannten Autoren versteht er jedoch 1, 4–9 als eine in sich geschlossene literarische Einheit. Dies ist ihm deshalb möglich, weil er in seiner Arbeit wiederholt nachweist, daß gerade späte Texte gerne verschiedene Traditionen, Themen und Bilder aufgreifen und zusammenstellen, um eine möglichst umfassende Aussage machen zu können, auch wenn dabei nicht immer letzte logische Stimmigkeit erzielt wird. Die spätere Schriftgelehr-

---

[22] H. Barth, Jesaja-Worte, 190f.
[23] H. J. Krause, hôj, 38 Anm. 84.
[24] J. Vermeylen, Isaie I, 50–57.
[25] O. Kaiser, Jesaja I, 33–38.
[26] Siehe dazu W. Werner, Eschatologische Texte, 119–133 und ders., Israel, 59–72.

samkeit schlägt sich literarisch so nieder. Man kann also nicht von vornherein von einem Bild- oder Themenwechsel oder von einer Ausweitung gleich auf verschiedene Autoren schließen. Deshalb liegen auch keine zwingenden Gründe vor, v. 9 auszuscheiden. Im Gegenteil, man kann ihn sehr wohl als zusammenfassende und wertende Abschlußbemerkung zum Vorangehenden verstehen,

„dann will der Sprechende, nachdem er die Situation der Stadt beschrieben hat, sagen: Es ist noch nicht alles verloren, wenn ihr euch besinnt. Jahwe selber hat noch einen 'Entronnenen' übriggelassen. Wenn er diese Aussage in der 1. Pers. Pl. formuliert, dann bindet er sein eigenes persönliches Schicksal an das seiner Zuhörer" [27].

So gesehen ist dieser Vers keine unsachgemäße oder gar störende Erweiterung, sondern geradezu der Zielpunkt der Einheit 1, 4–9, die vom Ernst der Situation der Angeredeten spricht, aber zugleich auch zum Ausdruck bringt, daß es noch eine letzte Chance gibt, die es jetzt zu ergreifen gilt. Eine solche Sicht erweist sich als höchst wahrscheinlich zutreffend, wenn man den Aussageduktus von Jes 1, 4–9 mit dem Bußgebet Esras in Esra 9, 6–15 vergleicht. Dann zeigt sich nämlich dies:

„Sieht man einmal von den durch die konkrete Situation vorgegebenen Inhalten ab, dann ergeben sich folgende Parallelen zu Jes 1, 4–9:
– Gott hat einen Rest gelassen (Esra 9, 8).
– Der Rest hat eine Chance (Esra 9, 9).
– Der Rest hat ein prophetisch vermitteltes Verbot übertreten (Esra 9, 10–12).
– Gott müßte dem Rest zürnen, bis dieser ganz vernichtet ist (Esra 9, 13–15).

In beiden Fällen kann ein noch bestehender Rest der völligen Vernichtung anheimfallen, wenn er nicht die Chance der Stunde ergreift. Ferner wird in Esra 9, 6–15 wie in Jes 1, 4–9 die Vergangenheit des Volkes als eine Geschichte der Verschuldung und der Sünde gekennzeichnet (Esra 9, 6), die allein durch Jahwes gnadenhaftes Erbarmen (Esra 9, 8) vor der endgültigen Katastrophe bewahrt worden ist. Dieses göttliche Erbarmen manifestiert sich in den 'Geretteten'." [28]

[27] W. Werner, Eschatologische Texte, 120.
[28] W. Werner, Eschatologische Texte, 123 f.

34

In Jes 1, 4–9 ist somit eine Rest-Theologie bezeugt, die sich sonst in Jes 1– 39 nicht mehr findet. Der Rest ist hier keine eschatologische Größe im Sinne des hl. Restes, der Heil angesagt wird; es ist aber auch nicht jener Rest, der nur mehr die eingetretene Katastrophe zu bekunden hat. Der Entronnene von 1, 9 hat noch eine Chance, wenn er den Ernst der Situation erkennt und die angebotene Chance ergreift.

Im Rahmen unserer Fragestellung ist es letztlich gleichgültig, ob man sich bei 1, 4–9 für das Textverständnis von J. VERMEYLEN, O. KAISER oder W. WERNER entscheidet, sicher dürfte auf jeden Fall sein, daß die Authentizität des Textes für Jesaja selbst nicht mehr zu retten ist, die Argumentation der drei Genannten ist zu gewichtig. Das besagt aber, daß auch an dieser Stelle keine positive Rest-Theologie Jesajas auszumachen ist.

So bleibt als einziges 'Beweisstück' noch das Läuterungsgericht von Jes 1, 21–26. Zu ihm führt S. HERRMANN aus:

„Die Botschaft vom Rest wird von Jesaja in überzeugender Weise in einem Spruch entfaltet, der den Begriff 'Rest' zwar selbst nicht kennt, ihn aber im Bild der Läuterung meint. Jesaja verwendet dieses Bild in einem Spruch über die Verderbnis Jerusalems, wesentlich seiner Oberschicht. Der Spruch stellt eine formale Einheit dar und ist einer der wenigen, in dem der Gedankenfluß von der Unheils- zur Heilsbotschaft organisch hinübergleitet. Mitten in der Bescheltung der Stadt, wobei Hauptbegriffe Jesajas aufklingen, steht der Satz: ‚Dein Silber ist zu Blei geworden' (v. 22). Dieses Gleichnis vom Metall nimmt der Drohspruch wieder auf (v. 25): ‚Ich will dich läutern mit Lauge, deine Schlacken, die will ich entfernen, all deine Bleistücke, will machen deine Richter wie im Anfang und deine Räte wie ehedem.' Das Bild der Läuterung deckt in genialer Weise einen ganzen, kontinuierlich verlaufenden Zusammenhang von Ereignissen. Es spricht von Gericht und Vernichtung des Untauglichen, aber zugleich von der Möglichkeit einer sich mitten im Gericht anbahnenden Restitution, deren Wurzeln schon im Schoße der Gegenwart liegen. Ziel ist die Wiederherstellung der idealen Ordnung klassischer Vergangenheit. Richter und Räte sollen wieder werden wie ehedem. Das Bild der Läuterung befördert sehr wesentlich den organischen Fluß der Gesamtbotschaft; es zeigt aber auch, in welcher Weise Jesaja über eine kommende Katastrophe hinausdachte. Er hielt den Fortgang der Ereignisse in Jerusalem für möglich, ein Rest könnte bleiben, auf den sich alle Hoffnungen konzentrieren würden. Der Spruch kommt aus der Mitte jesajanischen Denkens; höchstes Ziel ist ihm die Durchsetzung der Gerechtigkeit. Doch wird bei genauerem Zusehen nicht ganz deutlich, wer über eine Schicht gerechter Beamten und Volksführer hinaus dem Rest noch zugehören soll."[29]

Mit dem Restgedanken bringen das Läuterungsgericht zusammen u. a. schon O. PROCKSCH[30], W. E. MÜLLER[31] und dann wieder H. WILDBERGER: „Die neue Gemeinde, der aus der Sichtung hervorgegangene heilige Rest, wird – das ist nach dem Zusammenhang das Entscheidende – der Gerechtigkeit und der Treue in ihrer Mitte Raum geben."[32]

Diese Interpretation des Läuterungsgerichtes von 1, 21–26 hat freilich auch Widerspruch erfahren. Hier

„kündet Jesaja zwar ein Läuterungsgericht an, aber ihm fällt nur die verderbte Oberschicht anheim, die Stadt Jerusalem selbst und die Masse der Bevölkerung bleibt am Leben, somit kann man aber nicht von Rest im üblichen Sinne reden"[33].

„Also nicht frevelhafte Beamte werden zu korrekten Beamten geläutert, sondern sie werden vernichtet (V. 23 f.); geläutert wird Jerusalem als Heilssetzung dadurch, daß es seiner frevelhaften Vollzugsorgane entledigt wird. Weder ein positiver Rest noch Schonung Israels sind hier im Blick; das Motiv dieser Heilsankündigung ist nicht die Rettung der Frevler, sondern die Treue Jahwes zu seinen Setzungen, hier zu der Bestimmung und Funktion, die er Jerusalem gegeben hat."[34]

Mag man über die Beziehung des Läuterungsgerichtes in 1, 21–26 zur Resttheologie Jesajas auch geteilter Meinung sein, entscheidend ist letztlich wieder die Frage, ob dieser Text überhaupt jesajanisch ist oder einer späteren Zeit angehört. Denn bisher war ja einfach vorausgesetzt, der Text habe Jesaja zum Autor. Zwar ist die Mehrheit der Exegeten der Meinung, Jes 1, 21–26 sei ein authentischer Jesaja-

---

[29] S. Herrmann, Heilserwartungen, 127 f.

[30] O. Procksch, Jesaia, 48.

[31] W. E. Müller/D. Preuß, Rest, 68 f.

[32] H. Wildberger, Jesaja I, 65.

[33] R. Kilian, Verheißung, 50 f.

[34] O. H. Steck, Friedensvorstellungen, 60 Anm. 166. Zur Interpretation von Jes 1, 21–26 siehe auch G. Fohrer, Jesaja 1 als Zusammenfassung, 163 ff.

text, doch neigt man neuerdings dazu, auch diesen Passus Jesaja abzusprechen. Besondere Bedeutung kommt hier der Arbeit von J. Vermeylen zu. Nach gründlichen Detailüberlegungen kommt er zu folgendem Ergebnis:

»Les diverses pièces de notre dossier convergent dans la même direction. Nous n'avons recontré aucun indice significatif permettant d'attribuer la paternité d'Is., I, 21–26 au prophète Isaie ou à l'un de ses disciples immédiats. D'autre part, le contexte, l'idée d'un jugement de purification, le vocabulaire, les attaches littéraires principales et l'analyse du genre littéraire montrent que l'auteur du poème doit être situé, selon la plus grande vraisemblance, à l'époque de l'exil, dans un milieu influencé par la théologie deutéronomienne. Dans cette hypothèse, la péricope présente un sens très concret: si brutal qu'il fut, le malheur survenu à Jérusalem en 586 à cause de la dépravation religieuse de ses dirigeants (vv. 21–23) offre à la cité la chance inespérée d'un renouveau radical (v. 26). Au point de vue du croyant resté dans le pays, l'exil des élites corrompues n'est pas la marque d'une condamnation du peuple, mais au contraire une œuvre de salut opérée par Yahvé en sa faveur.«[35]

O. Kaiser meint, daß der Passus 1, 21–28 in vier Etappen entstanden sei.

„An den Kern der Verse 21–23a wurden zur Verdeutlichung der in ihnen enthaltenen Gerichtsbotschaft zunächst die Verse 24 und 25 angeschlossen. Um sicher zu stellen, daß dem Läuterungsgericht wieder eine Heilszeit folgt, fügte eine weitere Hand V. 26 und zum strophischen Zeilenausgleich auch noch V. 23b hinzu. Schließlich formulierte ein letzter Bearbeiter die Grundsatzerklärung der Verse 27 und 28."

Bereits das Grundwort der vv. 21–23a weist Beziehungen zur deuteronomistischen Theologie auf, ist also auf jeden Fall nicht jesajanisch.[36]

Mag man die Argumentationen von J. Vermeylen und O. Kaiser beurteilen, wie immer man will, es führt kein exegetischer Weg daran vorbei, daß der Text von 1, 21–26 Jesaja abzusprechen ist. Die Vermutung geht mit W. Werner dahin, daß 1, 21–26 erst nachexilischer Redaktion entstammt, „das Läuterungsgericht (Jes

[35] J. Vermeylen. Isaie I, 104 f.
[36] O. Kaiser, Jesaja I, 54.

1, 21–26. 27f.) und die Polemik gegen götzendienerische Baum-
kulte (Jes 1, 29–31) scheinen sukzessive an den redaktionell ge-
schaffenen Grundbestand Jes 1, 2–20 angefügt worden zu sein"[37].

In diesem Zusammenhang mag auch an B. Duhm erinnert werden, der zu Jes 1, 21–26 ausführt:

„Die erste Strophe beklagt die sittliche Verderbtheit Zions, die zweite verheißt Besserung durch ein Läuterungsgericht. Dieser Gedanke läßt sich nur
schwer mit Jes.s Hauptideen, so mit dem in der Berufungsvision c. 6 emp-
fangenen Programme seiner prophetischen Tätigkeit, vermitteln; sieht man
den Propheten als einen Systematiker an, der niemals von der strengen Ge-
dankenbahn abweichen konnte, so muß man ihm das Gedicht absprechen.
Aber wenn man sich des Stichworts 'Ein Rest kehrt um' c. 7 erinnert, wird
man zugeben müssen, daß Jes. in der Zeit, wo er seinem Sohne diesen Namen
gab, auch dieses Gedicht schreiben konnte."[38]

B. Duhm hat also selbst Schwierigkeiten, 1, 21–26 in der Verkündigung Jesajas unterzubringen. Er verweist auf Schear-Jaschub und
meint, damit 1, 21–26 für Jesaja retten zu können, aber die obigen
Ausführungen zum Namen Schear-Jaschub verunmöglichen eine
solche Zuflucht.

Wenn man alles, was bisher zum Restgedanken ausgeführt wurde,
berücksichtigt, dann bleibt eigentlich nur der Schluß, daß Jesaja
selbst nie einen heiligen Rest verkündet hat. Deshalb muß man
G. Fohrer zustimmen, wenn er ausführt:

„Darüber hinaus muß einmal mehr festgestellt werden, daß der Gedanke an
einen heiligen Rest, der das künftige Gottesvolk bilden und neues Heil erfahren soll, bei Jesaja nicht begegnet. Er findet sich erst in der späteren eschatologischen Prophetie (4, 3; 10, 20f.; 11, 11. 16; 28, 5), während Jesaja den Begriff oder die Vorstellung vom 'Rest' in der ursprünglichen Bedeutung des
einer Schlacht entkommenen kläglichen Überrestes, der lediglich die
Schwere der Katastrophe bezeugt, verwendet hat (1, 8; 6, 11. 12f.; 7, 3;
17, 3. 5f.; 30, 14. 17). Genauso verhält es sich noch in der Zeit Jeremias und
Ezechiels (vgl. Jer 24, 8f.; 42, 2f.; Ez 9, 8; 17, 21). Will man exegetische Untersuchungen überhaupt noch ernst nehmen, so wird man sich der Einsicht

---

[37] W. Werner, Eschatologische Texte, 133.
[38] B. Duhm, Jesaia, 32f.

nicht verschließen können, daß alle Erwähnungen eines für künftiges Heil bewahrten Restes aus exilischer oder nachexilischer Zeit stammen und die Vorstellung vom Rest, der nicht bloß nach dem göttlichen Gericht übriggeblieben ist, sondern den für ein neues Gottesvolk ausersehenen Teil Israels bildet, unter den Deportierten im Exil entstanden ist. Bei Jesaja gehört der Restgedanke nicht zu einer Heilserwartung, sondern zur Gerichtsdrohung und Umkehrmahnung."[39]

---

[39] G. Fohrer, Jesaja 1 als Zusammenfassung, 155f. Siehe dazu auch U. Stegemann, Restgedanke, 161–186.

III. DER ZION

Zu den Grundpfeilern, auf denen die übliche Jesajaexegese basiert, gehört auch die sog. Zionstradition, häufig auch als Zionstheologie bezeichnet. Was unter Zionstheologie bzw. Zionstradition zu verstehen und wie sehr Jesaja in dieser Tradition verwurzelt sein soll, zeigt klar und übersichtlich G. VON RAD.

„Man wird bei der Entfaltung der Botschaft Jesajas von vornherein die Frage nach der sakralen Tradition im Auge behalten müssen, in der Jesaja als Jerusalemer gestanden haben kann, und sich der besonderen Situation in Jerusalem zu erinnern haben, das ja schon durch seine relativ spät erfolgte Einbeziehung in den Kultbereich des Jahweglaubens in überlieferungsgeschichtlicher Hinsicht sein eigenes Leben hatte. Tatsächlich gibt die Botschaft des Propheten auf diese Frage eine sehr bestimmte Antwort. Gewiß hat Jesaja seine Verkündigung in den langen Jahren seines Wirkens je nach der Stunde und dem Personenkreis, dem er sich zu stellen hatte, verschieden gestaltet; aber er hat doch eine Form, ja so etwas wie ein Schema, derart bevorzugt, daß man – will man diesen Propheten verstehen – gut tut, von jener Form auszugehen. Das Schematische im Aufbau der Redeeinheiten tritt nur deshalb für den Leser zurück, weil Jesaja die einzelnen Elemente erstaunlich vielseitig zu variieren wußte. Sehr klar, fast wie in einem Modell, tritt das innere Gefälle dieser Einheiten in Jes. 17, 12–14 heraus: Ein tosendes Völkergewoge wälzt sich gegen den Zion heran; aber Jahwe schilt darein: da fliehen sie fernhin. »Zur Abendzeit, siehe Schrecken! Noch vor dem Morgen ist nichts mehr da.« Die Völker, von denen hier gesprochen wird, sind merkwürdigerweise geschichtlich nicht greifbar; sie erscheinen vielmehr als eine formlose, politisch ganz unprofilierte wogende Masse; eine Vorstellung, die gerade durch die Heranziehung von Motiven aus dem Chaosdrachenkampfmythus gefördert wird. Aber auch die Abwehr ist in keiner Weise als ein militärischer Akt erkennbar; sie ereignet sich durchaus wunderhaft und ohne Zuschauer zwischen Abend und Morgen. Nur hinterher kann man staunend die Rettung feststellen. Das Stück läßt sich schwer datieren; die alte Annahme, Jesaja handele von Sanheribs Belagerung, ist längst fallen gelassen; denn von jenem Ereignis hat Jesaja ganz anders gesprochen. Daran, daß Jesaja auf eine bestimmte politische Möglichkeit hin gesprochen hat, ist wohl nicht zu zweifeln; aber die Vermutung legt sich dringend nahe, daß sowohl die Form wie die einzelnen Vorstellungsinhalte bei dieser Sprucheinheit vom Propheten nicht ad hoc geschaffen wurden, sondern daß Jesaja hier von einer Überlieferung abhängig ist. Bei der Frage, um welche Überlieferung es sich da handeln könnte, wäre zunächst an die Gruppe der sogenannten Zionlieder zu denken (Ps. 46; 48, 76), weil sich in ihnen eine spezifisch jerusalemische – und das hieße: eine ganz unamphiktyonische – Tradition ausspricht . . . Alle drei Lieder wissen von einem Angriff von Königen und Heeren auf den Zion zu melden, der von Jahwe geheimnisvoll abgewendet wurde: »Sie sahen's und erstarrten, sie wurden bestürzt und flohen, Zittern erfaßte sie daselbst« (Ps. 48, 6 f.). Vor dem Zion »zerbrach (Jahwe) des Bogens Blitze, Schild und Schwert und Krieg«, »vor deinem Schelten, Gott Jakobs, lagen sie betäubt mit Wagen und mit Roß« (Ps. 76, 4. 7). Das Ereignis, auf das diese Dichtungen zurückgehen, läßt sich in der Geschichte des davidischen Jerusalem nicht unterbringen; mythologisch im engeren Sinne ist der Stoff aber auch nicht; vielleicht entstammt er dem vordavidischen Jerusalem? Daß diese Psalmen vorjesajanisch sind, ist wahrscheinlich; sind sie es nicht, so würde das nicht viel ändern; denn die von ihnen dargebotene Überlieferung von jenem vereitelten Anschlag auf Jerusalem ist von ihnen gewiß nicht erdichtet worden, sondern viel älteren Ursprungs. Der Zusammenhang Jesajas aber mit dieser altjerusalemischen Tradition ist mit Händen zu greifen, ganz besonders bei der ebenso pathetischen wie geheimnisvoll schwebenden Darstellung des göttlichen Eingreifens. Das wird noch deutlicher, wenn wir andere jesajanische Texte heranziehen, wobei der Prophet freilich in jedem Einzelfall die alte Überlieferung zu etwas ganz Neuem macht. So ist in Jes. 10, 27b–34, einem Stück, das vielleicht mit Jes. 17, 12 ff. aus einer Epoche, nämlich aus der Zeit um 715 stammen könnte, der Ansturm der Feinde gar nicht vage und konturenlos angedeutet; vielmehr geht ihm der Text in alle geographischen Einzelheiten nach, indem er die von ihm betroffenen Ortschaften der Reihe nach nennt, bis der Feind »seine Hand über dem Berg der Tochter Zion schwingt«. Aber nun greift Jahwe »mit Schreckensgewalt« ein. Die Vernichtung der Feinde geschieht durch ein ganz persönliches Eingreifen Jahwes und nicht etwa in einer Schlacht. Aber auch hier kommt die Rettung in allerletzter Stunde, die judäische Landschaft ist schon überflutet, erst vor dem Zion wird die Feindesmacht zerbrochen werden. Von dieser Gewißheit geht Jesaja auch in der Aufstandsbewegung des Jahres 720 aus, in der er die Gesandten, die gewiß zur Beteiligung an dem Aufstand auffordern wollten, mit dem gelassenen Bescheid abfertigt: »Jahwe hat den Zion gegründet; dort werden sich bergen die Elenden seines Volkes« (Jes. 14, 28–32). Sachlich und zeitlich steht diesem Wort die Weissagung nahe, derzufolge Assur in Jahwes eigenem Land vernichtet werden wird (Jes. 14, 24–27). Aus der Spätzeit, als der Prophet den Angriff Sanheribs erwartete, haben wir allein drei mehr oder minder vollständige Variationen des ihm vorgegebenen »Schemas« mit allen seinen Einzelteilen. Das große Arielgedicht (Jes. 29, 1–8) bringt freilich schon am Anfang einen höchst paradoxen Gesichtspunkt: Jahwe wird sich selbst wider den Zion erheben (»dann will ich Ariel bedrängen . . . ich lagere mich wider dich ringsherum«). Damit sind natürlich alle Akzente verlagert; denn nun bedeutet das Ereignis eine äußerste Demütigung des Zion (v. 4). Aber darauf folgt die gnädige Wende; mit Sturm und Wetter wird Jahwe eingreifen und die Bedränger werden wie die dahinfliegende Spreu und wie Staub werden. Hier ist also Jahwe zuerst in dem Angriff der Feinde auf den Zion aufs persönlichste gegenwärtig, dann aber wendet er sich gegen diese Feinde.

Und es wird sein, wie wenn ein Hungriger träumt, er esse,

und wenn er erwacht, ist seine Gier ungestillt,

und wie wenn ein Durstiger träumt, er trinke,

und er erwacht mit lechzender Gier, –

so wird es der Menge aller Völker gehen, die wider den Berg Zion zu Felde liegen (Jes. 29, 8).

In Jes. 30, 27–33 dagegen – einem der gewaltigsten Texte Jesajas – geht es allein um die Abwehr Assurs, zu der Jahwe selbst, lodernd vor Zorn, erscheint, um seine majestätische Stimme erschallen und das Niederfallen seines Armes sehen zu lassen. In Jes. 31, 1–8 endlich wendet sich Jesaja gegen die, die sich angesichts der Bedrohung auf Bündnisse und Rüstungen verlassen. Jahwe ist es doch, der den Zion schützt. Er wird selbst herniedersteigen, »er wird schirmen, erretten, verschonen, entrinnen lassen« (v. 5).« [1]

Ähnlich dezidiert äußert sich H. WILDBERGER in dieser Frage.

„Nach den neueren Forschungen unterliegt es keinem Zweifel, dass Jesaja den in den Zionspsalmen vertretenen, letztlich auf den Mythos vom Gottesberg zurückgehenden Gedankenkreis um die Gottesstadt, die unantastbar ist, sehr wohl kennt. Aber deren Unverletzlichkeit ist ihm Verheissung, die

---

[1] G. von Rad, Theologie II, 162–165. Die weiteren Ausführungen G. von Rads (ebd., 165–175) zum Thema Zion, in das er auch noch 7, 1–9 einbezieht, sowie die Themen Glauben, Hinsehen auf das Werk Jahwes und Plan Jahwes, werden hier nicht berücksichtigt, weil sie so nicht für alle Vertreter dieser These repräsentativ sind.

42

an den Glauben gebunden ist (28, 26). So kann er der Stadt des Heiligtums, aller Tempelbergtheorie zum Trotz, schwerste Bedrohung ansagen (29, 1–3), lebt man doch in Jerusalem sorglos in den Tag hinein. Die Hinfälligkeit der der Wohnstätte Jahwes geltenden Verheissung verkündet er damit allerdings nicht. Er hofft, dass es ob der tiefen Demütigung der Stadt zu einer innern Wandlung ihrer Bewohnerschaft kommt, und dann – plötzlich, im Nu, von Menschen nicht mehr erwartet, zum Einbruch der göttlichen Hilfe."[2]

Von der Seite der Zionspsalmen her sieht es nach H.-J. KRAUS so aus:

„Rückblickend kann festgestellt werden, daß in Ps 46 eine sehr bemerkenswerte Kulttradition Jerusalems hervortritt, die doch wohl in vorisraelitische Zeit zurückgeht und eine Reihe mythologischer, altkanaanäischer bzw. altsyrischer Vorstellungen auf den Zion übertragen hat. Diese Kulttradition ist jedoch nicht nur in den Psalmen (z. B. Ps 48; 76) nachweisbar, sondern vor allem auch bei Jesaja, dem Jerusalemer Propheten bzw. bei der mit Jesaja verwandten Prophetie: vgl. Jes 17,12ff.; 24, 21; 26,1; 29,7f.; 33, 20f. – Das Verhältnis zwischen Kulttradition und Prophetie ist nach allen diesen Feststellungen nun aber zweifellos in der Weise zu bestimmen, daß die Kultüberlieferungen das Primäre, die in eschatologische Aussagen transponierten Prophetien das Sekundäre sind. M. a. W.: Die Propheten haben Aussagen und Vorstellungen ihrer Verkündigung aus den Kulttraditionen Jerusalems geschöpft. Neben Jesaja und den nichtjesajanischen Propheten im 1. Teil des Buches Jesaja wären vor allem auch Micha und Jeremia (aber auch Ezechiel, Zephanja und Deuterojesaja) zu nennen. Richtig hat ERohland das Verhältnis der Jerusalemer Kulttraditionen zur Prophetie und Eschatologie gesehen (ERohland, Die Bedeutung der Erwählungstraditionen Israels für die Eschatologie der alttestamentlichen Propheten 145ff.). Nicht richtig aber ist bei Rohland die Bezeichnung dieser Kultüberlieferungen als »Erwählungstraditionen«. Es müßte scharf getrennt werden zwischen den (vorisraelitischen) Kulttraditionen . . . und dem genuin israelitischen Akt der »Erwählung des Zion« (vgl. zu Ps 132). Es muß auffallen, daß in den (vorisraelitischen und tief im Mythos verwurzelten) Kultüberlieferungen die Lade nicht erwähnt wird. Dagegen ist z. B. in Ps 132 ausdrücklich von der Einführung der Lade und von der Erwählung des Zion die Rede."[3]

[2] H. Wildberger, Jesajas Verständnis, 94 f.
[3] H.-J. Kraus, Psalmen I, 106 f. So auch H.-J. Kraus, Theologie, 94–103. Zur Jerusalemer Kulttradition siehe auch H. Schmid, Jahwe, 168–197;

So überzeugt die These von der Jerusalemer Zionstradition vorgetragen wurde und wird, sie hat auch Widerspruch erfahren, insbesondere durch G. WANKE.[4] In seiner Untersuchung der Korachitenpsalmen (Pss 42–49; 84 f.; 87 f.) wird ihm von Schritt zu Schritt immer deutlicher, daß

„die korachitische Zionstheologie eine sehr ausgebildete Form der Vorstellungen, die sich um den Zion und an Jerusalem gebildet haben, voraussetzt, also in einer sehr späten Zeit entstanden sein muß. Dies deckt sich nun wieder mit der zeitlichen Ansetzung der korachitischen Tempelsänger etwa Ende des 4. Jh."[5].

Zu den Korachitenpsalmen gehören auch die Pss 46 und 48, auf die sowohl G. VON RAD als auch H.-J. KRAUS in ihrer Argumentation für die Existenz einer alten Zionstradition verweisen. (Zwar ist der weitere 'Beweistext', Ps 76, nicht der Korachitensammlung zuzuordnen, aber da er auch wie die Pss 46 und 48 das Völkerkampfmotiv aufweist – darauf wird gleich zurückzukommen sein –, gilt auch für ihn, was G. WANKE zu den Pss 46 und 48 ausführt.)

Um die These zu erhärten, daß jene Psalmen der Korachitensammlung, die er Zionslieder nennt – Pss 42/43; 46; 48; 84; 87 –, im Zusammenhang mit anderen Aussagen des Alten Testament über Zion–Jerusalem ein sehr fortgeschrittenes Stadium der theologischen Entwicklung repräsentieren und deshalb der nachexilischen Zeit angehören, untersucht G. WANKE die Terminologie, insbesondere die Gottesbezeichnungen, die Motive und Traditionen der entsprechenden Texte. Als Ergebnis dieser Untersuchung kann festgehalten werden:

1. Die Gottesbezeichnungen dieser Texte lassen keinen eindeutigen Schluß für eine Spätdatierung dieser Psalmen zu. In ihrer Mehrheit weisen sie jedoch auf die spätvorexilische bis nachexilische Zeit hin, weil sie vor allem erst da besondere Bedeutung und Verbreitung er-

J. Schreiner, Sion-Jerusalem; J. H. Hayes, Tradition, 419–426; H.-M. Lutz, Jahwe; F. Stolz, Strukturen; J. Jeremias, Lade, 183–198; und besonders O. H. Steck, Friedensvorstellungen, 9–25.

[4] G. Wanke, Zionstheologie.

[5] G. Wanke, Zionstheologie, 38.

langten. „Weiter scheinen sich mit bestimmten Gottesbezeichnungen nicht unbedingt bestimmte Traditionen zu verbinden."[6]

2. Aus den belegten mythischen Motiven ergibt sich, „daß die Verwendung von Motiven aus den ugaritischen Mythen und wahrscheinlich auch zum Teil aus den mesopotamischen Mythen in gehäufter Weise erst in der exilisch-nachexilischen Zeit auftritt"[7].

3. Anders verhält es sich beim Völkerkampfmotiv. Das ist „erst bei Jeremia klar und eindeutig nachzuweisen und in der in den Korachitenpsalmen vorliegenden Form nur in der nachexilischen Zeit belegbar. Damit erhält aber die These, daß ein Teil der Korachitenpsalmen, in unserem Fall wenigstens Ps 46 und 48, nachexilischen Ursprungs sind, eine weitere Stütze. Von einem außerisraelitischen Ursprung des Motivs kann keine Rede sein. Es liegt in ihm auch keine historisierte Form des Chaoskampfmotivs vor, sondern es gehört ursprünglich dem Bereich der Sage an und hat erst in zweiter Linie mythische Motive als Bilder an sich gezogen"[8].

Lassen die Gottesbezeichnungen und die verwendeten mythischen Motive keine eindeutigen Schlüsse zu, so sprechen sie doch auch nicht gegen eine Spätdatierung der Korachitenpsalmen, befürworten sie sogar eher.

„Den endgültigen Beweis für eine exilisch-nachexilische Ansetzung der korachitischen Zionslieder lieferte die Untersuchung des Völkerkampfmotivs. Dieses ist in seiner in den Korachitenpsalmen vorliegenden Gestalt überhaupt erst in der nachexilischen Zeit belegt und kann erst in dieser Form als Motiv angesprochen werden, während früher zu beobachtende Formen nur als Vorstadien seiner Entwicklung zu einem Motiv angesehen werden können."[9]

Darüber hinaus macht G. Wanke geltend, daß man bei den zur Diskussion stehenden Motiven erst dann von einer alten Jerusalemer Kulttradition sprechen darf,

„wenn tatsächlich alle Motive in der außerisraelitischen Literatur nachgewiesen sind, für alle Motive eine sehr frühe Übernahme in das Alte Testament –

---

[6] G. Wanke, Zionstheologie, 64.
[7] G. Wanke, Zionstheologie, 70.
[8] G. Wanke, Zionstheologie, 92 f.
[9] G. Wanke, Zionstheologie, 108.

in unserem Fall zur Zeit der Eroberung Jerusalems durch David und kurz danach, wenigstens zur Königszeit – als gesichert erscheint und für den jeweiligen Motivenkomplex eine mehr oder weniger geschlossene überlieferungsgeschichtliche Linie vom Zeitpunkt der Übernahme an erhoben werden kann . . .“ [10].

Das hohe Alter von Einzelmotiven allein rechtfertigt noch keine Annahme einer alten Jerusalemer Kulttradition.

Diese Kritik an der u. a. von E. ROHLAND, G. VON RAD, H.-J. KRAUS, H. WILDBERGER und O. H. STECK vertretenen Zionstradition hat nun ihrerseits wieder Kritik erfahren, so durch H.-J. KRAUS [11], J. JEREMIAS [12] und F. STOLZ [13]. Die Zurückweisung der Thesen G. WANKES, der immerhin ein recht bedeutsames Problem alttestamentlicher Überlieferung angefaßt und neue Fragen aufgeworfen hat, ist freilich sehr pauschal ausgefallen. Lediglich H.-M. LUTZ versucht in einem Anhang zu seiner Arbeit, wirklich zu argumentieren. [14]

Es kann nicht Aufgabe dieser Jesajastudie sein, die Problematik der Zionspsalmen einer Lösung zuzuführen, es mag genügen, darauf verwiesen zu haben. Dies war allerdings auch in dieser Breite notwendig, weil die sog. jesajanische Zionstheologie in der alten Zionstradition verankert sein soll. Wir wenden uns jetzt deshalb den entsprechenden Jesajatexten zu. Dies ist zudem auch im Rahmen der Gesamtproblematik *Zionstradition* vonnöten, weil sowohl von H.-M. LUTZ als auch im Anschluß daran von H.-J. KRAUS Jesajatexte in die Diskussion eingebracht werden, die der Beweisführung G. WANKES entgegenstehen sollen. Zwar gibt H.-J. KRAUS zu, daß das Völkerkampfmotiv in der außerisraelitischen Literatur nicht zu belegen ist, [15] aber er und H.-M. LUTZ [16] verweisen auf Jes 8, 9f.;

[10] G. Wanke, Zionstheologie, 110.

[11] H.-J. Kraus, Psalmen I, 107f.; ders., Theologie, 102f.

[12] J. Jeremias in seiner Rezension der Monographie G. Wankes, in: BiOr 24, 365f.

[13] F. Stolz, Strukturen, 88f. Anm. 69. Diese eine Anmerkung genügt F. Stolz, um die Einwände G. Wankes abzutun.

[14] H.-M. Lutz, Jahwe, 213–216.

[15] H.-J. Kraus, Psalmen I, 107f.; ders., Theologie, 102.

17, 12–14 und 14, 24–27, die damit gewissermaßen zu Schlüsseltexten werden.

Jes 8, 9f.

Die Frage der Authentizität dieses Textes ist umstritten. Für jesajanische Verfasserschaft treten u. a. ein B. DUHM [17], O. PROCKSCH [18], H. SCHMIDT [19], H. DONNER [20], H.-M. LUTZ [21] und H. WILDBERGER [22]. Gegen die Authentizität des Spruches wenden sich u. a. K. MARTI [23], G. FOHRER [24], J. VOLLMER [25], F. HUBER [26], J. VERMEYLEN [27], H. BARTH [28], O. KAISER [29] und W. WERNER [30]. Auf beiden Seiten werden immer wieder ähnliche Argumente vorgetragen. Schon T. K. CHEYNE fragt sich, ob die beiden Verse „das Werk Jesajas oder eines späteren Ergänzers sind? Stammen sie nicht von Jesaja, so sind sie eine gute Nachahmung seines Stils" [31].

Natürlich kann man mit W. WERNER im Anschluß an F. HUBER von der inhaltlichen Seite aus darauf hinweisen, daß 8, 9f. sich nicht mit der jesajanischen Aufforderung zum Glauben in Übereinstimmung befinde, hier vielmehr einer unbedingten Heilssicherheit das

[16] H.-M. Lutz, Jahwe, 215.

[17] B. Duhm, Jesaia, 81f.

[18] O. Procksch, Jesaia, 134f.

[19] H. Schmidt, Propheten, 76f.

[20] H. Donner, Israel, 25ff.

[21] H.-M. Lutz, Jahwe, 40–47.

[22] H. Wildberger, Jesaja I, 330ff.

[23] K. Marti, Jesaja, 85f.

[24] G. Fohrer, Jesaja I, 128f.

[25] J. Vollmer, Rückblicke, 192f.

[26] F. Huber, Jahwe, 82f.

[27] J. Vermeylen, Isaie I, 223ff.

[28] H. Barth, Jesaja-Worte, 178ff. 210. Er schreibt den Text seiner Assur-Redaktion zu.

[29] O. Kaiser, Jesaja I, 182f.

[30] W. Werner, Eschatologische Texte, 168–171.

[31] T. K. Cheyne, Einleitung, 37. Er plädiert dann dafür, daß es sich in 8, 9f. um einen jesajanischen Nachtrag handelt.

Wort geredet werde. Auch kann darauf hingewiesen werden, daß Jesaja sonst von den Fremdvölkern nie als von einem „Völkermeer", „vielen Völkern" oder einfach „Völkern" spricht. Jesaja verwendet ansonsten auch nicht den „Wir-Stil als Sprecher des Volkes, um einem nationalen Heilsbewußtsein Ausdruck zu verleihen"[32]. Ferner kann man geltend machen, daß sich Jes 8, 9f. gut in das Kolorit der späteren eschatologischen Theologie einfügt. Auf all das kann man sich berufen und kann damit die andere Seite doch nicht überzeugen, solange nicht gesichert ist, was Jesaja tatsächlich verkündet hat. Vielleicht ist er doch der Vater der alttestamentlichen Eschatologie? Jedenfalls meinen ihn manche Exegeten so oder ähnlich verstehen zu müssen.

Bedeutsam dürfte jedoch die Feststellung O. KAISERS sein, daß der unmittelbare Kontext keine jesajanische Verfasserschaft zuläßt; denn 8, 5–8 und 8, 11–15

„dulden mit ihrer Ankündigung der kommenden Katastrophe keine Entschärfung durch eine Rettungsbotschaft. . . . So handelt es sich in den beiden vorliegenden Versen um eine eschatologische Umdeutung der in 8, 5–8* angekündigten Überschwemmung des Landes durch mesopotamische Heere auf den Völkersturm, in dem sich die Welt zum letzten Male gegen die Gottesstadt erhebt, um vor ihren Toren zuschanden zu werden"[33].

Entscheidend aber dürfte schließlich sein, daß 8, 9f., wie wiederholte Anspielungen auf Jes 7 zeigen, die dortige Situation aufnimmt und weiterführt. Diese Rückgriffe dürften sogar den Schluß zulassen, „daß bereits die mit Hilfe von 2Kön 16, 5–9 überarbeitete Fassung von Jes 7" dem Verfasser von 8, 9f. vorgelegen hat.[34]

„Diese Überlegungen erlauben es, Jes 8, 9f. als eine in späterer nachexilischer Zeit entstandene Interpretation von Jes 7, 1–17 zu verstehen. Der Verfasser greift vor allem auf das Moment der Bedrohung Judas und auf den Immanuelnamen zurück. Indem er gleichzeitig die historische Situation von Jes

---

[32] W. Werner, Eschatologische Texte, 169; siehe auch schon F. Huber, Jahwe, 74.

[33] O. Kaiser, Jesaja I, 182f.

[34] Siehe dazu W. Werner, Eschatologische Texte, 170, der auch noch aus terminologischen Gründen für eine Spätdatierung plädiert.

7, 1–17 vernachlässigt und den damaligen Begebenheiten eine paradigmatische Bedeutung zukommen läßt, läßt er das Prophetenwort auch für seine eigene Zeit gültig sein."[35]

Jes 17, 12–14

Eine gewisse sachliche Verwandtschaft von 17, 12–14 mit 8, 9f. ist nicht zu leugnen.[36] Wer deshalb die Authentizität von 8, 9f. vertritt, tut dies in der Regel auch bei 17, 12–14. Das gilt u. a. für B. DUHM[37], O. PROCKSCH[38], H.-M. LUTZ[39], F. STOLZ[40] und H. WILDBERGER[41]. Für nichtjesajanisch, aber doch noch für vorexilisch halten den Text H. BARTH und J. VERMEYLEN[42]. Für die Nichtauthentizität und exilisch-nachexilische Entstehung plädieren K. MARTI[43], G. FOHRER[44], G. WANKE[45], J. VOLLMER[46], O. KAISER[47], F. HUBER[48] und W. WERNER[49].

Die Argumentation pro oder contra Jesajanität ist nicht einfach, da Terminologie und Stil keine ganz eindeutigen Schlüsse zuzulassen scheinen. Immerhin kann jedoch F. HUBER feststellen:

„Wenn man auf die Beobachtung zu Stil und Vokabular auch noch kein abschließendes Urteil über die jesajanische oder nichtjesajanische Herkunft von

[35] W. Werner, Eschatologische Texte, 170.
[36] Zu den Unterschieden, die zwischen den beiden Texten bestehen, siehe W. Werner, Eschatologische Texte, 175 f.
[37] B. Duhm, Jesaia, 136.
[38] O. Procksch, Jesaia, 234.
[39] H.-M. Lutz, Jahwe, 50.
[40] F. Stolz, Strukturen, 86 ff.
[41] H. Wildberger, Jesaja II, 668–671.
[42] H. Barth, Jesaja-Worte, 182 f. 210; J. Vermeylen, Isaie, 313–316.
[43] K. Marti, Jesaja, 146 f.
[44] G. Fohrer, Jesaja I, 218 f.
[45] G. Wanke, Zionstheologie, 116 f.
[46] J. Vollmer, Rückblicke, 192–195.
[47] O. Kaiser, Jesaja II, 71 ff.
[48] F. Huber, Jahwe, 77 ff.
[49] W. Werner, Eschatologische Texte, 171–178.

Jes 8, 9 f. und Jes 17, 12–14 gründen kann, so läßt sich jedenfalls soviel fest-stellen, daß beides (Stil und Vokabular) eher gegen als für Jesaja als Verfasser spricht."[50]

Nicht übersehen werden sollten allerdings die sogenannten Ent-sprechungsmotive, die der Text aufweist. Im Vergleich des Feind-ansturms mit dem Heranbrausen der Wasser wird auf Urzeitliches angespielt. „So, wie am Anfang Jahwe dem Chaos gewehrt hat, so wird er in der Endzeit sich der anstürmenden Feinde erwehren und sie besiegen."[51] Aber nicht nur auf Urzeitliches, auch auf Ge-schichtliches wird zurückgeblickt.

„Es spricht nun einiges dafür, daß sich in Jes 17, 12–14 verschiedene ge-schichtliche Erinnerungen miteinander verbunden haben. Da der Text im Je-sajabuch steht, kann man annehmen, daß er zunächst auf die Erzählung von der wunderbaren Rettung der Stadt Jerusalem im Jahr 701 v. Chr., wie sie in den Jesajalegenden ausgestaltet wurde, zurückgreift (2 Kön 19, 35 = Jes 37, 36). Da die Rettung eingeleitet wird, indem Jahwe die Wasser/Feinde schilt, kann eine Erinnerung an das Meerwunder (Ex 14, 27) nicht ausge-schlossen werden, denn in der nachexilischen Ausgestaltung von Ps 106, 9 trocknet Jahwe durch sein Schelten das Schilfmeer aus und ermöglicht so den Durchzug Israels durch das Meer. Ferner kann die Hilfe vor dem Morgen auf die Passanacht in Ägypten hinweisen (Ex 12, 29 f.), in der Israel gerettet, die ägyptischen Feinde aber vernichtet wurden."[52]

Das Aufgreifen solcher Reminiszenzen – versteckt oder offen – und die Kombination verschiedener Motive sind aber nun geradezu cha-rakteristisch für die exilisch-nachexilische Eschatologie. Im Vergan-genen schöpft sie Hoffnung, erhebt sie Bilder für Künftiges, erkennt sie typisches Jahwehandeln.[53]

Ferner ist in diesem Zusammenhang auch noch zu berücksichti-gen, daß das in 17,13b verwendete Bild von der verwehten Spreu, „in Hos 13, 3 und Zef 2, 2 als Gerichtsbild gegen das eigene Volk

[50] F. Huber, Jahwe, 75.
[51] W. Werner, Eschatologische Texte, 173.
[52] W. Werner, Eschatologische Texte, 174.
[53] Zu den Entsprechungsmotiven in der alttestamentlichen Eschatologie siehe G. Fohrer, Struktur, 51–56; R. Kilian, Überlegungen, 28–35.

gewendet, seit Deuterojesaja auf das an den Völkern zu vollziehende Gericht appliziert wird (Jes 41,15; 29, 5; Ps 83,14)"[54]. Auch dieser Tatbestand verweist auf exilisch-nachexilische Zeit.[55]

Ganz allgemein ist wie schon bei Jes 8, 9f. darauf zu verweisen, daß die unbedingte Heilszusage von Jes 17,12–14 mit der sonstigen Verkündigung Jesajas nicht in Übereinstimmung zu bringen ist. Das wird in der Tat zutreffen, stößt aber auf die schon bei 8, 9f. angeführten Einwände, wonach eben nicht sicher sein soll, was Jesaja tatsächlich verkündet hat. H. WILDBERGER formuliert diesen Einwand so:

„Die Frage ist nur die, ob er in jeder Situation die Bedingtheit seiner Heilsbotschaft herausstreichen mußte. Man sollte auch an diesem Punkt mit der der heutigen Forschung sonst so bewußten Situationsbezogenheit prophetischer Rede Ernst machen . . ."[56]

Freilich fällt diese Forderung auf ihn zurück, weil 17,12–14 gerade keine bestimmte historische Situation verrät, sondern eschatologische Dimensionen hat. Es ist nicht zu übersehen, daß H. WILDBERGER in seiner ausführlichen Erörterung der Authentizität dieses Abschnittes wenig Positives für seine Position vorzutragen weiß. De facto ergeht er sich in Anfragen allgemeiner Art an die Gegenseite und in einer unverbindlichen Verteidigung der Zionstradition, die er als sicheres Datum vorgegeben sieht. Zieht man so ein Fazit aus dem bislang Überlegten und berücksichtigt man gar die neueste Literatur, dann wird man nicht umhinkönnen, 17, 12–14 Jesaja abzusprechen und der exilisch-nachexilischen Eschatologie zuzuweisen.

---

[54] W. Werner, Eschatologische Texte, 174.

[55] Wäre man in der Argumentation nur einigermaßen konsequent, dann müßte man auch mit O. Kaiser, Jesaja II, 71, Jes 14, 24–27; 29,1–8; 30, 27–33 und 31, 4–9 einer späteren Redaktion zuschreiben, und dann wäre auch von selbst die Frage von 17,12–14 gelöst. Dasselbe wäre der Fall, würde man G. Wankes These übernehmen. Dies geht in unserem Fall jedoch aus methodischen Gründen nicht, weil hier ja der Versuch unternommen wird, die entsprechenden Jesajatexte der Spätzeit zuzuweisen, ohne mit der umstrittenen Zionstradition zu argumentieren.

[56] H. Wildberger, Jesaja II, 670.

Zunächst gilt es festzuhalten, daß dieser Text in der wissenschaftlichen Literatur zumeist für Jesaja in Anspruch genommen wird. Selbst G. Fohrer und J. Vermeylen halten den Text für authentisch. Aber die Argumentation von J. Vermeylen, zumal sie sich auf das Vokabular bezieht, ist mehr als dürftig.[57] Und G. Fohrer kann gar nichts für die Authentizität anführen, sondern nur konstatieren, daß Jesaja im vierten Zeitraum seiner Tätigkeit denjenigen Teil seiner Gerichtsbotschaft für Juda und Jerusalem aufgibt, nach dem Gott das Gericht durch die Assyrer vollstrecken lassen wird.[58] Daß G. Fohrer diesen Text für Jesaja retten will, ist verständlich, weil er sonst seine Jahwe-Assur-Konzeption – auf die noch zurückzukommen sein wird – nicht aufrechterhalten kann. Aber das ist eben die Frage, ob Jesaja je seine Ansicht geändert hat, das Gericht werde durch Assur erfolgen.

Unter den älteren Autoren haben sich gegen die Authentizität ausgesprochen: B. Stade[59], H. Hackmann[60], K. Budde[61] und K. Marti[62], der seine Entscheidung u. a. so begründet: Nach Jesaja ist der Plan Jahwes das Heil und das Gericht über Juda und Israel, nicht über die Völker. Für Jesaja ist das Weltgericht nicht, wie für die Späteren, die Kehrseite des Heils.

„Jes's Bestreben und Aufgabe ist es, den Glauben an das Gericht über Juda und Israel und nicht den Glauben an das allgemeine Weltgericht zu fördern, vgl. 5, 9 wo Jahwe schwört, sein eigenes Volk zu richten."
„Der Abschnitt hat, auch wenn er nicht nur »aus jesajanischen Phrasen zu-

---

[57] J. Vermeylen, Isaie I, 253 f. Siehe dazu W. Werner, Eschatologische Texte, 190 f.

[58] G. Fohrer, Jesaja I, 200 f.

[59] B. Stade, Bemerkungen, 16: „Wie weiterhin 14, 24–27, ein aus jesajanischen Phrasen zusammengeleimtes Stück so gehört auch 17, 12–14, wo die vielen Völker wiederkehren, der Redaction des Buches Jesaias an."

[60] H. Hackmann, Zukunftserwartung, 106 f. Anm. 3.

[61] K. Budde, Schranken, 201.

[62] K. Marti, Jesaja, 129 f.

sammengeleimt ist«, so viele und nahe Parallelen im Buch Jesaja . . ., dass er sich von den originalen Stücken Jes's sehr unterscheidet."

Auch in der neuesten Phase der Jesajaforschung wird die Authentizität wieder bezweifelt. So meint H. BARTH:

„Der Redaktor, von dem 14, 24–27 stammt, hat einen Textkomplex verarbeitet, der sich seinerseits bereits einer redaktionellen Sammlung und Komposition verdankt. Daß aber mehrere sukzessive Redaktionsgänge auf Jesaja zurückgehen sollen und so die Redaktionsgeschichte eines Komplexes schließlich in einer Person zusammenfiele, wird gewiß niemand behaupten wollen. . . . Daß Jesaja seinen Worten gegen Juda und das Nordreich zu einem späteren Zeitpunkt derart die Spitze abgebrochen haben sollte, indem er das Israel treffende Unheil, in welchem er doch bis in seine letzten überlieferten Worte hinein Jahwe als mit vollem Recht und in der ganzen Radikalität seines Zornes am Werke gesehen hat, als Durchgangsstationen zu einem Handeln an Assur relativiert hätte, kann nach aller historischen Wahrscheinlichkeit ausgeschlossen werden." [63]

Ausführlich und mit überzeugenden Argumenten bestreitet O. KAISER die Jesajanität von 14, 24–27.

„Der Gedanke des Gottesschwures . . . begegnet in den Gerichtsweissagungen eines Amos, eines Jesaja, wird von dem deuteronomistischen Bearbeiter des Jeremiabuches aufgenommen . . . und auch im Ezechielbuch gleichsinnig vertreten. Auf der anderen Seite läßt sich verfolgen, wie er seit Deuterojesaja in Heilsweissagungen und in die ihnen funktionsverwandten Fremdvölkersprüche eindringt. – Daß sich Jahwes Gedanken erfüllen, wird fast gleichlautend wie in V. 24 in 4. Mose 33, 56 gesagt. – Wie die Unerschütterlichkeit des Gottesplanes hier, wird in dem redaktionellen Stück 8, 9f., vgl. V. 10, das Mißlingen der Anschläge der Völker beschrieben. Der Grundgedanke stammt, bei einer leichten dem Kontext angemessenen Abwandlung der Formulierung, aus Spr. 19, 21, vgl. Ps. 33, 11 und 73, 24, ist aber schon von Deuterojesaja aufgenommen, vgl. 46, 10. Bei dem ersten Jesaja ist die Vorstellung vom Plan Jahwes dagegen nicht sicher belegbar, da 5, 19 in seiner Isolation zu berechtigten Zweifeln Anlaß gibt, 19, 12. 17; 23, 8 f. und 28, 29 aber sekundär sind. Das gleiche gilt für Mi. 4, 12. Dagegen spielt die Idee eines göttlichen, gegen die Völker gerichteten Planes auch in den späten

---

[63] H. Barth, Jesaja-Worte, 118. Er weist 14, 24–27 seiner vorexilischen Assur-Redaktion zu.

Fremdvölkersprüchen des Jeremiabuches eine Rolle. Der in V. 25 aufgenommene Gedanke, daß Jahwe die Assyrer in seinem eigenen Lande vernichten wird, ist . . . keine prophetische, von Jesaja vertretene, sondern erst eine protoapokalyptische Erwartung. 29, 5 ff. und 31, 4 ff. sind so wenig jesajanisch wie 10, 16 ff.; 10, 24 ff., oder 17, 12 ff. Die sich auch in der volkstümlich-prophetischen Jesajaerzählung 37, 33 ff. findende Vorstellung vom Schutz des Zion vor den andringenden Feinden (wie hier den Assyrern), hat sich aus dem Völkerkampfmotiv der Zionslieder, vgl. Ps. 46, 7 ff.; 48, 5 ff.; 76, 3 f., und 87, in die nachexilischen, protoapokalyptischen Kreise verbreitet, in denen man den Einfall eines gewaltigen Völkerheeres in das Heilige Land und seine Vernichtung durch Jahwe vor den Toren Jerusalems erwartete, vgl. besonders Zeph. 3, 8; Jo. 4; Ez. 38 f. und Sach. 14. – Von dieser Konzeption her ist es verständlich, wenn die Geltung des göttlichen Planes in V. 26 auf die ganze Erde, vgl. 10, 23; 12, 5; 13, 5; 25, 8 und 28, 22 ausgedehnt wird. Auch die Umschreibung des Heiligen Landes mit der Rede von seinen Bergen und die entsprechende von »meinen Bergen« ist durchaus spät. – Daß V. 25b aus 10, 27 genommen ist, ist längst erkannt . . ., hängen doch zudem die Suffixe, die Possessivpronomina »ihr« und »sein« beziehungslos in der Luft. – V. 26 folgt mit der Wendung von der ausgestreckten Hand Jahwes 5, 25; 9, 11. 16. 20 und 10, 4. Die Beziehung des Anthropomorphems auf die Feinde scheint unter dem Einfluß der deuteronomistischen Floskel von der starken Hand und dem ausgestreckten Arm Jahwes zu stehen. Schließlich greift die erste, in V. 27 eingeschobene Frage auf die entsprechende negative Wendung in 8, 10a und die abschließende zweite Frage wohl gleichzeitig auf 43, 13 und 5, 25; 9, 11. 16. 20 und 10. 4 zurück. Sich über diesen Befund hinwegzusetzen hieße der Untersuchung des Sprachgebrauchs als eines literarkritischen Werkzeuges überhaupt die Daseinsberechtigung zu bestreiten. Es führt dann zu einer verhängnisvollen Verzeichnung der Verkündigung Jesajas, der auf diese Weise in Übereinstimmung mit den über ihn umlaufenden Legenden letztlich zum Vater der Apokalyptik gemacht wird.« [64]

So bleibt als Fazit:

»Das kleine Gedicht zeigt, daß ein schriftgelehrter Ergänzer der Jesajarolle trotz seiner fast auf Schritt und Tritt greifbaren Abhängigkeit von ihm aus

[64] O. Kaiser, Jesaja II, 40 f. Weitere Belegstellen für diese These finden sich in den entsprechenden Kommentaranmerkungen O. Kaisers.

dem Studium der heiligen Schriften bekannten Wendungen und Gedanken ein wohlkomponiertes und eindrucksvolles Ganzes zu schaffen vermochte." [65]

Diese Weissagung hat „ihren Sitz im Leben in der Kammer eines frommen Bearbeiters, aber nicht in der unmittelbaren Verkündigung eines Propheten" [66].

Diesem sehr eindeutigen Votum hat sich auch W. Werner angeschlossen, [67] der darüber hinaus dann noch darauf aufmerksam macht, daß *j^cṣ* mit *Jahwe* als Subjekt innerhalb des Jesajabuches nur noch in den eindeutig sekundären Stellen 19, 12. 17 und 23, 9 belegt ist.

„Auch sonst findet sich die Verbindung des Verbums mit dem Subjekt Jahwe nur in späten Texten: Jer 49, 20; 50, 45; Ps 16, 7; 2Chron 25, 16." [68]
„Wenn Jahwe Juda *ʾrṣî* 'mein Land' nennt, dann begegnet ein Sprachgebrauch, der sonst frühestens bei Jeremia (Jer 2, 7) in dem deuteronomistisch geprägten Vers Jer 16, 18, in der vermutlich auf die Ezechielschule zurückgehenden Stelle Ez 36, 5, in dem Nachtrag Ez 38, 14–16 (V. 16), in Joel 1, 6 und 4, 2 auftritt." [69]
„Zwar begegnet das Verbum *šbr* in Verbindung mit dem Subjekt *Jahwe* häufiger, doch in Jes 1–39 nur an den nicht-authentischen Stellen Jes 14, 5 (q.) und 38, 13 (pi.). Auch das Verbum *bus* ist mit dem Subjekt *Jahwe* nur für die späten Belegstellen Jes 63, 6; Ps 60, 14; 108, 14 bezeugt." [70]

Berücksichtigt man die Argumente, die zur hier anstehenden Frage von H. BARTH und vor allem von O. KAISER und W. WERNER vorgetragen werden, dann wird man nicht umhinkönnen, Jes 14, 24–27 dem Propheten Jesaja abzusprechen.

Wenn es tatsächlich so sein sollte, wie hier als ziemlich sicher angenommen wird, nämlich daß 14, 24–27 nicht mehr Jesaja zugewiesen werden kann, dann fällt auch eine der wichtigsten Stellen, die bezeugen sollen, daß bereits

---

[65] O. Kaiser, Jesaja II, 42.
[66] O. Kaiser, Jesaja II, 40.
[67] W. Werner, Eschatologische Texte, 190–193.
[68] W. Werner, Eschatologische Texte, 192.
[69] W. Werner, Eschatologische Texte, 192 f.
[70] W. Werner, Eschatologische Texte, 193.

bei Jesaja eine ausgesprochene *Plan-Theologie*, ein *Plan-Denken Jahwes* belegt sei. Dies wird freilich seit der Arbeit J. Fichtners ›Jahwes Plan in der Botschaft des Jesaja‹ (1951)[71] immer wieder behauptet. So meint G. VON RAD, daß bei Jesaja im Begriff des Werkes Jahwes mehr oder minder synonym der des Ratschlusses Jahwes erscheine, der im himmlischen Thronrat diskutiert und beschlossen wird (vgl. 1Kön 22, 19–22), um dann allerdings auch noch festzustellen: „Diese Konzeption von einem Plan, den Jahwe in der Geschichte zur Durchführung bringt, ist in der prophetischen Verkündigung des 8. Jahrhunderts etwas Neues." [72] Allein das sollte schon Anlaß sein, mit der These des Jahwe-Planes bei Jesaja vorsichtiger umzugehen. Auch H. WILDBERGER muß zugeben, daß bei keinem anderen Propheten die Vokabeln für „Werk" oder „Tat" dem „Ratschluß" und „Plan" *(ᶜeṣā)* so nahe stehen wie bei Jesaja. Diese Vorstellung kann bei keinem anderen Propheten eine ähnliche Bedeutung beanspruchen. Damit unterstreicht er die Eigenständigkeit der jesajanischen Geschichtsauffassung.[73] So kann er auch den Satz wagen: *„Die Geschichte ist das Werk des einen Jahwe der Heere, der auf dem Zion thront und sie vollzieht sich nach dem Plan, der von ihm beschlossen ist."* [74]

Solche Überlegungen mögen theologisch schön gedacht sein, nur fehlt ihnen die entsprechende Basis authentischer Jesajatexte. – Das gilt übrigens für die ganze Arbeit von H. WILDBERGER zu Jesajas Geschichtsverständnis. Hier werden so viele nichtjesajanische Texte bemüht, daß schließlich auch die möglicherweise echten Texte in einem zweifelhaften Licht erscheinen. – Die Konzeption einer nach Jahwes Plan verlaufenden Geschichte verrät bereits die Nähe zur Apokalyptik. Das heißt freilich nicht, daß in der Sicht der vorexilischen Prophetie die Geschichte Israels nicht wesentlich durch den Willen und das Handeln Jahwes in der Geschichte bestimmt wäre. Solches steht überhaupt nicht zur Debatte. Zu fragen ist nur, ob in der vorexilischen Prophetie Geschichte schon so verstanden wurde, als vollziehe sie sich nach einem von Jahwe bereits fest beschlossenen Plan. Wenn Jesaja dafür als Kronzeuge angeführt wird, so muß dem widersprochen werden, da die authentischen Texte dafür nicht ausreichen, zumal dann, wenn in diesem Plan auch die Geschicke aller Völker einbezogen sein sollen.

[71] J. Fichtner, Jahwes Plan, 27–43.
[72] G. von Rad, Theologie II, 169.
[73] H. Wildberger, Jesajas Verständnis, 90.
[74] H. Wildberger, Jesajas Verständnis, 81.

Blickt man auf die bisher behandelten Texte zurück, die zumeist für die Abhängigkeit Jesajas von der Zionstradition bemüht werden, Jes 8, 9f.; 17, 12–14; 14, 24–27, so ist festzustellen, daß gerade diese Texte nicht das leisten können, was sie leisten sollen. Da sie nicht jesajanisch sind, sondern allesamt einer viel späteren Zeit zuzuordnen sind, können sie weder einen Einfluß der postulierten Zionstradition auf die Prophetie Jesajas noch das hohe Alter der postulierten Zionstradition bezeugen.[75] Mit Hinweisen auf diese Texte kann man so auch nicht die Ausführungen G. WANKES gegen die häufig vertretene These der Zionstradition bestreiten. Doch soll in dieser für das Verständnis der Botschaft Jesajas so gewichtigen Frage nicht nur auf der Basis von 8, 9f.; 17, 12–14; 14, 24–27 argumentiert werden. Deshalb werden noch andere Texte aus Jes 1–39 berücksichtigt, in denen der Zion eine bedeutsame Rolle spielt.

Weitere Zionstexte in Jes 1–39

H.-J. HERMISSON ist sich wohl bewußt, daß die meisten Texte im ersten Jesajabuch, die Heilserwartungen bergen, nachgetragene Texte sind, „formuliert aus dem Horizont späterer Zeiten. Der Restbestand, um den die Exegeten sich noch streiten, gruppiert sich im wesentlichen um drei Themen: der »heilige« Rest, der Zion, der »Messias«."[76] Die Themen *Rest* und *Messias* wurden bereits oben behandelt. Zum Thema *Zion* führt H.-J. Hermisson aus:

„Bei den Texten, die sich um das Thema »*Zion*« gruppieren, gehört Jes 1, 21–26 unbestritten zur Verkündigung des Propheten. Gegenwartskritik und Zukunftserwartung sind hier aufs engste miteinander verbunden: Jerusalem, einst Stadt des Rechts und der Gerechtigkeit, ist durch den Rechtsfrevel seiner führenden Stände zutiefst verderbt; im Läuterungsgericht wird Jahwe Jerusalem reinigen und der Stadt wieder Richter und Räte wie zu Anfang geben. Also vollkommener Anfang, dann Verfall – darum Gericht und Wiederherstellung des Anfänglichen. – Der Text ist wichtig, weil er einen

---

[75] Gegen H.-M. Lutz, Jahwe, 215, und H.-J. Kraus, Theologie, 102.
[76] H.-J. Hermisson, Zukunftserwartung, 55.

zuverlässigen Maßstab für die Beurteilung (auch der Echtheit) und Deutung anderer Texte hergibt. Hier kommt vor allem 28, 16–17 in Betracht; daneben 29, 1–7 und 31, 4–5. Die beiden letzten Texte aber lassen gerade noch die überraschende Wendung erkennen: die Rettung Jerusalems mitten im Gericht; in höchster Bedrängnis. Über eine Zukunft *nach* dem Gericht sagen sie nichts. – Im Gegensatz zu diesen Texten ist die berühmte Vision der Völkerwallfahrt zum Zion (2, 2–4) schwerlich jesajanisch – schon die ganz andere Thematik spricht dagegen."[77]

H.-J. HERMISSON macht demnach Jes 1, 21–26 zum Schlüsseltext der Zionsgebundenheit Jesajas. Nun wurde aber bereits oben aufgezeigt,[78] daß auch dieser Text nicht mehr als jesajanisch gelten kann. Damit fällt eine für ihn ganz wesentliche Stütze, weil die anderen von ihm angeführten Texte ja nur im Licht von Jes 1, 21–26 interpretiert werden sollen. Trotzdem sollen auch noch diese Texte erörtert werden.

Jes 28,16f.

Beim sog. Ecksteinwort, 28, 16f., verhält es sich so, daß zwar die meisten Exegeten für die Authentizität eintreten,[79] doch wird gelegentlich auch gefragt, ob 28, 16–17a nicht ein ursprünglich selbständiger Spruch war, der erst später dem jetzigen Kontext eingegliedert wurde. „Es wäre doch zu merkwürdig, annehmen zu wollen, daß diese verheißenden Verse mitten in einer Unheilsweissagung ihren legitimen Ort haben sollten."[80] So wie hier S. HERRMANN urteilt auch schon O. PROCKSCH.[81] H.-J. HERMISSON hält es jedoch für sehr wohl möglich, daß auf die Droheinleitung zuerst ein Heilswort folgt, das sei in der Ambivalenz der Zukunftserwartung Jesajas begründet und habe durchaus Analogien.[82] Ähnlich argumentiert auch H. BARTH, der zwar zugibt, daß es formgeschichtlich auffällig ist,

[77] H.-J. Hermisson, Zukunftserwartung, 56 f.
[78] Siehe oben S. 35–39.
[79] Siehe dazu u. a. H. Wildberger, Jesaja III, 1071 f.
[80] S. Herrmann, Heilserwartungen, 143.
[81] O. Procksch, Jesaia, 356–359.
[82] H.-J. Hermisson, Zukunftserwartung, 69 Anm. 39.

daß eine Jerusalem-Juda betreffende Unheils- *und* Heilsaussage in einem Wort verbunden sind, aber das sei bei Jesaja nicht singulär.[83] Andererseits weist H. WILDBERGER darauf hin, daß sich 28,16aβb. 17a ausgezeichnet in den Zusammenhang einfügt. „Man hat mit Tod und Scheol einen Bund geschlossen, wo man doch auf dem Zion, wo Jahwe einen Eckstein legt, absolute Geborgenheit haben . . . könnte."[84] Für ihn ist v. 16 keine Verheißung, sondern bereits Anfang des Drohwortes.

„Gewiß, ich lege auf dem Zion einen Stein, sogar einen kostbaren Gründungseckstein, a b e r e s i s t e i n S t e i n d e r E r p r o b u n g . . . Jerusalem wird sozusagen einem Gottesurteil unterworfen. Kriterium dabei ist der Glaube: Der G l a u b e n d e weicht nicht, was impliziert, daß die, welche nicht glauben, d. h. nach dem Zusammenhang: zu politischen Allianzen ihre Zuflucht nehmen, weichen müssen . . . Da die Gesprächspartner Jesajas deutlich genug bewiesen haben, daß sie nicht gewillt sind, der Gefahr im Glauben standzuhalten, so kann V. 17, auch ohne daß das explizit festgestellt würde . . ., zur eigentlichen Drohung übergehen."[85]

Belastet ist dieser Spruch aber nicht nur durch die Frage, ob er Heil oder Unheil ankündigt und ob Heil und Unheil bei Jesaja so eng miteinander verbunden sein können, sondern auch dadurch, daß offensichtlich nicht eindeutig ausgemacht werden kann, wer oder was mit dem Eckstein gemeint ist.[86]

„So hat man in ihm das auf dem Zion offenbarte Gesetz Jahwes, den Tempel auf dem Zion als Zufluchtsort der Getreuen Jahwes, das in David gestiftete urbildliche Königtum, die Bergstadt Jerusalem, das auf dem Zion von Jahwe angefangene Heilswerk, Jahwes Verhältnis zu seinem Volk, und schließlich auch die von Gott bereits begründete wahre Glaubensgemeinschaft erkennen wollen. – Umgekehrt hat man bei Abänderung in das Partizip bei gleichzeitigem futurischen Verständnis der Aussage an den Zion als gerechte Gründung Jahwes, den Messias als Grundstein eines nicht mit Händen bereiteten Tem-

[83] H. Barth, Jesaja-Worte, 11. So auch O. H. Steck, Friedensvorstellungen, 59 Anm. 164.

[84] H. Wildberger, Jesaja III, 1070.

[85] H. Wildberger, Jesaja III, 1076 f.

[86] Zum Eckstein als solchem siehe K. Galling, Serubbabel, 72 f.; L. Köhler, Fachwörter, 390–393.

pels, den Glauben, eine Restgemeinde der Glaubenden oder sehr präzis an das »Wer glaubt, wird nicht weichen!« als Verheißungswort Jahwes gedacht."[87]

Die Frage nach dem Eckstein hängt, wie bereits aus dem angeführten Zitat deutlich geworden ist, nicht zuletzt mit der Frage zusammen, ob Jahwe den Eckstein schon gelegt hat, ihn jetzt legt oder ihn erst künftig legen wird. Wie ist *jsd* zu punktieren? Als Perfekt, so MT, oder als Partizip? Nach B. Duhm ist in v. 16

„mit Recht *jsd* als Perf. punktiert, nicht als Part., denn wenn Jahwe den Grundstein erst noch legen müßte, so wären jene Männer einigermaßen entschuldigt, wenn sie sich an Schutzmächte eigener Wahl halten"[88].

Auch W. Gesenius/E. Kautzsch meinen, ein präteritales Verständnis vertreten zu können: „siehe mich, der gegründet hat". Aber es bleibt offen, ob nicht vielleicht doch das Partizip zu lesen sei.[89] Obwohl die präteritale Zeitstufe auch heute noch vertreten wird, so z. B. von G. Fohrer, H.-M. Lutz und J. Vollmer[90], meint die Mehrzahl der derzeitigen Exegeten, diese Ansicht nicht mehr teilen zu können. Man findet die in MT „überlieferte Verbalkonstruktion zu Beginn der Gottesrede syntaktisch ausgefallen", man wird sie deshalb „der üblichen anzugleichen haben und an das »hier bin ich« oder »siehe, ich . . .« ein Partizip anschließen dürfen"[91]. Schließt man sich dieser Meinung an, so ist ein Partizip an sich dennoch zeitstufenmäßig neutral. Aber in Verbindung mit *hin^enî* soll es präsentischen oder futurischen Charakter haben. Denn „*hin^enî* + Pt. akt. kann nur präsentisch oder futurisch übersetzt werden"[92]. „*hnni* mit

---

[87] O. Kaiser, Jesaja II, 201 f. Hier finden sich auch die entsprechenden Literaturverweise. Siehe dazu auch den Überblick bei J. Lindblom, Eckstein, 123–132.

[88] B. Duhm, Jesaia, 200.

[89] W. Gesenius/E. Kautzsch, Grammatik, § 155 f.

[90] G. Fohrer, Jesaja II, 56; H.-M. Lutz, Jahwe, 153; J. Vollmer, Rückblicke, 193.

[91] O. Kaiser, Jesaja II, 201.

[92] H.-J. Hermisson, Zukunftserwartung, 69 Anm. 39. In diesem Sinne äußert sich z. B. auch H. Barth, Jesaja-Worte, 11 f.

part. aber spricht eindeutig von dem, was Jahwe in nächster Zukunft ins Werk setzen will."[93] Das mag zwar in den meisten Fällen zutreffen, aber nicht immer; denn in Gen 41, 17 folgt dem *hin^enî* ebenfalls ein Partizip, das auf Grund des Kontextes am besten perfektisch zu übersetzen ist. Der Pharao erzählt, was er im Traum gesehen hat: „Siehe, ich stand am Ufer des Nils."[94] So kann auch beim Ecksteinwort, selbst wenn man *jsd* als Partizip liest, ein präteritales Verständnis nicht a limine ausgeschlossen werden.

O. KAISER, der in v. 16 auch das Partizip liest und dies präsentisch bzw. futurisch versteht, bestimmt 28, 16aβb. 17a zwar auch als Heilswort, spricht es jedoch Jesaja ab und weist es einem frühexilisch anzusetzenden Bearbeiter zu.[95] Auf diese Weise muß er keine Ambivalenz in der Zukunftserwartung Jesajas postulieren, kann vielmehr 28, 14–15 als Scheltwort und 28, 16aα. 17b. 18 als Drohwort verstehen. J. VERMEYLEN schließt, wie O. KAISER, die jesajanische Verfasserschaft für 28, 16aβ–17a aus, verweist das Stück aber in die Zeit des zweiten Tempels.[96]

Da das Ecksteinwort den Zusammenhang von Schelt- und Drohwort (vv. 14–15. 16aα. 17b. 18) unterbricht, da es das Drohwort deutlich mindert, da ein Appell an den Glauben der Hörer nicht mehr angebracht ist, sie haben ihren Pakt schon geschlossen – anders verhält es sich bei Jes 7, 9b, hier steht Ahas noch vor der Entscheidung, deshalb wird ihm in 7, 11 ja noch ein Zeichen angeboten, das ihm helfen soll, sich richtig zu entscheiden –, und da die Ambivalenz in der Zukunftserwartung Jesajas ein recht zweifelhaftes Postulat ist, wie sich noch zeigen wird, wäre es am besten, man würde das Ecksteinwort als sekundäre Erweiterung eines späteren Redaktors bestimmen. Aber selbst wenn man auf der Authentizität des Spruches besteht, und dies wohl nur deshalb, weil in v. 16b Jes 7, 9b aufgenommen sein dürfte, was aber gerade für die Annahme eines Redak-

---

[93] H. Wildberger, Jesaja III, 1076.

[94] Für diesen Hinweis danke ich P. Albert Löscher, Augsburg, St. Stephan.

[95] O. Kaiser, Jesaja II, 199.

[96] J. Vermeylen, Isaïe I, 392. Siehe auch schon J. Boehmer, Glaube, 84–93.

tors sprechen könnte, so muß das noch lange nicht heißen, Jesaja verkünde im Ecksteinwort eine an den Zion gebundene und immer noch gültige Heilsmöglichkeit. Selbst bei einem präsentisch-futurischen Verständnis von *jsd* kann man diesen Spruch mit H. WILDBERGER auch so verstehen, „daß V. 16 nach dem Zusammenhang letztlich nicht Verheißung sein kann, sondern bereits Anfang des Drohwortes ist"[97].

Könnte man sich gar der präteritalen Übersetzung und Interpretation von G. FOHRER anschließen, dann würde es sich so verhalten, daß Jahwe in Zion tatsächlich eine heilvolle Möglichkeit geschenkt hatte. Die Politiker hätten, „wenn sie Gott glaubten und vertrauten, nicht aufzurüsten und Bündnisse zu schließen brauchen"[98], sie hätten nicht aufgeregt sein müssen, sie hätten auf Jahwe vertrauen können.

„Da die heilvolle Möglichkeit gegeben war, wird Gott nun prüfen, ob sie genutzt worden ist und der auf dem bereitgelegten Fundament errichtete Bau der Jerusalemer seinen Anforderungen entspricht. Er kommt wie ein Baumeister, der die geleistete Arbeit mit der R i c h t s c h n u r , d. h. dem Lot für die Senkrechte, und der S e t z w a a g e , d. h. der Wasserwaage für die Waagerechte, überprüft (vgl. Am 7, 7–9). Der Maßstab, den er anlegt, ist R e c h t und G e r e c h t i g k e i t ."[99]

Daß Jerusalem, an Recht und Gerechtigkeit gemessen, nicht bestehen kann, ist im Gesamt der jesajanischen Verkündigung nicht zu bezweifeln, es genüge der Verweis auf Jes 5, 7. Damit ist aber das Wort vom Eckstein keine Heilszusage, auch keine bedingte, vielmehr bezeugt es nur mehr, daß Jerusalem/Juda tatsächlich eine Heilsmöglichkeit hatte, sie aber nicht genutzt, sondern verspielt hat. Und ein solches Verständnis des Ecksteinwortes könnte durchaus jesajanisch sein.

Wie immer man den Ecksteinspruch verstehen mag, fest steht auf jeden Fall, daß er kein sicheres Zeugnis für die bei Jesaja anscheinend belegte Zionstradition ablegt. Er ist hinsichtlich seiner Interpreta-

---

[97] H. Wildberger, Jesaja III, 1076.
[98] G. Fohrer, Jesaja II, 61 f.
[99] G. Fohrer, Jesaja II, 62.

tion nicht eindeutig, wenn man ihn Jesaja zuspricht. Zudem ist es mehr als fraglich, ob hier überhaupt ein echtes Jesajawort vorliegt. Sehr wahrscheinlich handelt es sich doch um eine redaktionelle Erweiterung. Aber selbst wenn man 28, 16aβ. 17a für einen authentischen Jesajatext hält, dürfte die von G. Fohrer vorgetragene Interpretation immer noch den Vorzug verdienen. Wer sich auf die Einheitlichkeit von 28, 14–18 berufen will und zudem ein präsentischfuturisches Verständnis postuliert, möge sich an die Auslegung von H. WILDBERGER halten, der sich bemüht, dem Kontext gerecht zu werden.

Jes 29, 1–8

Das Ariellied[100] wird in seinem Kern zwar weithin als authentisches Jesajawort verstanden, es fragt sich nur, was als Kern gelten soll. So plädiert z. B. T. K. CHEYNE für die Jesajanität des Liedes, aber er schreibt die vv. 4b. 5. 7. 8 einem späteren, unbedeutenderen Verfasser, einem Theologen ganz anderer Art zu. In diesen Versen „suchte der liebenswürdige Redaktor Jesajas Drohungen zu mildern"[101]. Was für Jesaja selbst verbleibt, ist Unheilsbotschaft für Jerusalem. Auch B. DUHM streicht v. 4b und bestimmt vv. 5–8 als einen „Zusatz von der Hand des Redaktors, der die Bedrohung des Gottesberges seinem Publikum nicht ohne Hinweisung auf den tröstlichen Ausgang in die Hände geben wollte"[102]. Was bleibt, soll zwar von Jesaja sein, ist aber eine reine Drohung ohne Hoffnung auf einen guten Ausgang. Darin spiegelt sich keinerlei Zionshoffnung. H. DONNER vermutet auf seine Weise ähnliches.

„Es ist allenfalls möglich, wenn auch keineswegs außer Zweifel, daß der Grundstock des Spruches V 1–4 von Jesaja stammt. Als Entstehungszeit kämen dann am ehesten die Jahre vor 701 in betracht. V 5–8 sind Zusätze,

---

[100] Zum Namen und zur Bedeutung von Ariel siehe außer den Kommentaren W. F. Albright, Temple-Tower, 137–142; S. Feigin, Meaning, 131 bis 137; A. H. Godbey, Ariel, 253–266; J. Schreiner, Sion-Jerusalem, 257f.
[101] T. K. Cheyne, Einleitung, 192.
[102] B. Duhm, Jesaia, 207.

die vielleicht als vaticinia ex eventu unter dem Eindruck der Ereignisse von 701 stehen."[103]

Ähnlich urteilt auch H.-M. Lutz, der sich weithin B. Duhm anschließt. 29, 1–4a hält er für den jesajanischen Grundbestand, der dann von Späteren in verschiedenen Gängen erweitert worden ist: vv. 4b. 5abα korrigieren in positivem Sinne; vv. 5bβ. 6 heben das bedrohliche Element wieder stärker hervor; v. 7 hat den Charakter einer Heilsansage; v. 8 interpretiert das Traummotiv.[104] Auch J. Vermeylen kann nur in 29, 1–4 jesajanisches Gut erblicken. Die vv. 5–7 sind eine spätere Erweiterung, die den Abzug der assyrischen Truppen im Jahre 701 auf eine Jahwe-Epiphanie zurückführen, weil Jahwe die Eroberung und Zerstörung der heiligen Stadt nicht zulassen konnte. Solche Überarbeitungen und Erweiterungen sind nach ihm überall dort vorgenommen worden, wo Jesaja vom assyrischen Angriff gegen den Zion gesprochen hat, so besonders 5, 30; 8, 8b–10. 15; 10, 27b–34; 14, 26; 17, 12–14a; 28, 21; 31, 5; 33, 3–4. Daß 29, 8 ein nachexilischer Zusatz ist, gilt allgemein als sicher.[105] Für K. Marti sind von 29, 1–8 nur die vv. 1–4a. 5bβ. 6 Jesaja selbst zuzuweisen, und die Heimsuchung Jerusalems durch Jahwe (v. 6) ist eine Strafheimsuchung. Der ursprüngliche Bestand droht somit Jerusalem das Gericht an.

„Jahwe leitet die Assyrer wie bei Am 9, 1–4 und wie bei Hes 4, 1–3 die Chaldäer. Die Zuthaten (v. 5abα u. 7) deuten die Prophetie auf das Völkergericht: die Völker ziehen gegen Zion, aber sie erreichen ihre Absicht nicht; sie sind wie zerstiebende Spreu, wenn Jahwe dareinfährt (paqǎd v. 6 bekommt dann durch die Beifügung den Sinn einer Heimsuchung in Gnaden vgl. 23, 17), und für Jerusalem ist die Belagerung vorübergegangen wie ein Traum."[106]

Den bisher genannten Autoren ist gemeinsam, daß sie zwar einen Kern des Arielliedes Jesaja belassen, daß sie diesen Teil jedoch als

---

[103] H. Donner, Israel, 155. Siehe dazu auch J. Vollmer, Rückblicke, 165 f., der in den vv. 5*. 6 f. ebenfalls eine spätere heilvolle Umdeutung des Grundbestandes 29, 1–4 erblickt.

[104] H.-M. Lutz, Jahwe, 100–110.

[105] J. Vermeylen, Isaie I, 401–404.

[106] K. Marti, Jesaja, 214. Zur Bedeutung von pqd siehe J. Scharbert, PQD, 209–226.

Gerichtsdrohung gegen Jerusalem verstehen. Von einer vorgegebenen Zionstradition, auf der Jesajas Zionshoffnung basieren soll, findet sich so keine Spur. Erst durch die späteren Erweiterungen wird die Errettung der Stadt in den Text eingebracht. Wird jedoch das ganze Ariellied, zumindest 29, 1–7, Jesaja zugeschrieben, dann kann man darin durchaus ein Zeugnis der Zionstheologie schon in vorexilischer Zeit erblicken, und dann können auch andere Jesajatexte im Licht von 29, 1–7 interpretiert werden. Zunächst jedoch bereitet die Vereinbarkeit von Gericht und Heil in ein und demselben Jesajawort gewisse Schwierigkeiten und ebenso auch die doch befremdliche Tatsache, daß Jahwe hier zugleich als Angreifer und Retter Jerusalems agiert.

„Es hängt für die Beurteilung der Botschaft Jesajas nicht wenig daran, ob man es ihm zutraut, daß er in dieser scheinbar widersprüchlichen Weise von Jahwes Handeln gesprochen haben könnte. VRad hat es so formuliert: »Hier gewinnt das Werk Jahwes für den Zion eine merkwürdige theologische Ambivalenz: es richtet und rettet in einem.« Ob man diese Ambivalenz Jesaja zutraut, ist eine Frage, die man nur aus der Gesamtheit seiner Verkündigung heraus beantworten kann." [107]

J. Schreiner, der den gesamten Text für jesajanisch hält, löst die anstehende Problematik auf die Weise, daß er annimmt, 29, 1–3 liege eigentlich eine Kampfansage Sanheribs an Jerusalem zugrunde. Diese habe Jesaja übernommen, freilich nicht ohne Änderung und auch nicht vollständig.

„Die Mischung von Zitaten (in der 1. Person) und Zustandsschilderungen sowie der eigentümliche Name der Stadt scheinen aber doch darauf hinzudeuten, daß eine wirkliche Drohbotschaft des Königs von Assur benutzt wurde." [108]

Aber auch wenn Sanherib seiner Ansage gemäß die Stadt in äußerste Not und Drangsal stürzen wird, sie wird dennoch nicht erobert werden.

„Der Assyrer täuscht sich gewaltig. Er befindet sich nicht in der Lage, in der damals David war . . . Er greift Uru*el* an . . . Jerusalem ist Stadt des wahren

[107] H. Wildberger, Jesaja III, 1102.
[108] J. Schreiner, Sion-Jerusalem, 259.

Gottes; er herrscht in ihr und hat als Eigentümer das ausschließliche Besitz- und Verfügungsrecht. Von Gott geleitet hat sie David für ihn erworben. Sanherib darf nicht meinen, er könne sie ähnlicherweise für sich bzw. für seinen Gott erobern ... Die jesajanische Gerichtsandrohung ist demnach zugleich Heilswort. Sie ist Gericht, weil verkehrtes menschliches Handeln es so verlangt; sie ist Heil, weil Gottes Hoheitsansprüche und die Verläßlichkeit der Zusage für seine erwählte Stadt auf dem Spiel stehen." [109]

Diese These J. SCHREINERS ist von den Exegeten jedoch nicht akzeptiert worden; die Annahme einer Kampfansage Sanheribs in 29, 1–3 scheint doch unwahrscheinlich zu sein, auch wenn so die Einheitlichkeit des Textes gesichert wäre. [110]

H. BARTH versucht mit Hilfe der Literarkritik, die Einheitlichkeit von 29, 1–7 zu erweisen. Man kann gegen seine Argumentation nicht viel einwenden, weil der Text als solcher nicht so durch- und einsichtig ist, daß man nicht mitunter wirklich verschiedener Meinung sein könnte. Er ist sich auch durchaus bewußt, daß die Einheitlichkeit nicht nur literarkritisch wahrscheinlich gemacht werden kann. Denn die Bestreitung der literarischen Integrität des Textes sieht ihr stärkstes Argument darin:

„V 1–7 lasse sich formgeschichtlich nicht als Ganzheit erfassen, V 5bβ–7 falle aus dem Wehe-Spruch, der in V 1 beginnt, heraus; oder auf den sachlichen Gehalt bezogen: Unheils- und Heilsaussage in V 1–7 stünden in einer unaufhebbaren Spannung. Doch dieser Einwand verliert seine Kraft, wenn nach dem Verfasser des Textes gefragt und dessen Eigenart in der Formung wie im Sachgehalt seiner Heilsaussagen berücksichtigt wird." [111]

Zum Verfasser und Ort von vv. 1–7 führt er dann aus:

„Es ist in der Forschung nahezu unbestritten, daß 29, 1 ff. qua Unheilswort auf Jesaja zurückgeht. Nun haben wir in unserer Untersuchung schon an mehreren Beispielen gesehen, wie in jesajanischen Einheiten Unheils- und Heilsaussage in einer sachlich wie formal komplexen Anlage miteinander verbunden sind; dafür ist vor allem an 1, 21–26; 10, 33a + 11, 1–5; 28, 14 ff.; 31, 1–4 + 8a zu erinnern. In diesem Licht betrachtet wird die Annahme lite-

---

[109] J. Schreiner, Sion-Jerusalem, 260.
[110] Siehe dazu auch H. Barth, Jesaja-Worte, 188 Anm. 59.
[111] H. Barth, Jesaja-Worte, 188 f.

rarischer Integrität für 29, 1–7, wie sie von anderen Beobachtungen ohnehin wahrscheinlich gemacht war, vollends plausibel. Besonders nahe steht 29, 1–7 der Einheit 31, 1–4 + 8a: In beiden Fällen läuft ein Wehe-Spruch auf eine Heilsaussage aus; hier wie dort führt Jahwe das Unheil durch historisch-politische Mächte herbei, und sein Gericht gilt den Frevlern in seinem Volk; das Heil besteht jeweils in der Bewahrung des Zion, und zwar vor dem (eigenmächtigen) Übergriff ebenjener Völkergrößen, die zuvor noch Werkzeug des Gerichtes Jahwes waren. – Der historische Ort des Wortes 29, 1–7 ist ausweislich seines literarischen Kontextes die »Spätzeit«-Verkündigung Jesajas."[112]

Die Frage nach der Vereinbarkeit von Gericht und Heil in 29, 1–7 wird also in der Weise gelöst, daß H. BARTH darauf hinweist, daß sich gerade solches auch in anderen Partien Jesajas nachweisen lasse. Prüft man die von ihm angeführten Belegstellen nach, dann zeigt sich allerdings, daß Jes 1, 21–26 gar nicht von Jesaja stammt, sondern einer exilischen bzw. nachexilischen Redaktion zuzuweisen ist.[113] Bei 10, 33a + 11, 1–5 ist zunächst einmal die postulierte Zugehörigkeit von 10, 33a zu 11, 1–5 höchst unwahrscheinlich,[114] zum anderen hat sich bereits bei der Sichtung der messianischen Texte gezeigt, daß 11, 1–5 (6–9) ebenfalls Jesaja abzusprechen und der Spätzeit Israels zuzuweisen ist.[115] Für 28, 14–22 wurde im letzten Abschnitt deutlich gemacht, daß das Ecksteinwort sehr wahrscheinlich auf einen späteren Redaktor zurückgeht. Aber selbst wenn man den Text Jesaja beläßt, steht noch lange nicht fest, daß im Ecksteinwort Heil angesagt ist. Wenn selbst H. WILDBERGER darin keine Zionshoffnung erkennen kann, sondern nur Schelte und Drohung, dann kann der Spruch zumindest die ihm hier von H. BARTH zugemutete Beweislast nicht tragen.[116] – Die postulierte Einheit 31, 1–4 + 8a hat ihre eigene Problematik, die im Zusammenhang der Frage nach dem

---

[112] H. Barth, Jesaja-Worte, 189.

[113] Siehe dazu oben S. 35–39.

[114] Siehe dazu W. Werner, Eschatologische Texte, 47 f., der sich eigens mit der Argumentation H. Barths auseinandersetzt.

[115] Siehe dazu oben S. 10 ff.

[116] Siehe dazu oben S. 58–63.

Ariellied zu weit führen würde. Sie wird deshalb im nächsten Abschnitt gesondert behandelt, zumal auch H.-J. HERMISSON eigens auf diesen Text als Zeugnis der Zionstheologie verweist.[117] – Das ergibt aber als Fazit, daß H. BARTH keinen einzigen eindeutigen und authentischen Jesajatext anführt, der seine These stützen könnte. Ein solch enges Zusammen von Gericht und Heil findet sich m. E. erst ab der exilischen Zeit. Von da an werden überlieferte Droh- und Gerichtsworte uminterpretiert und um Heilsworte erweitert. Nach erfahrenem Gericht hofft man auf die Wende des Geschicks, hofft man auf Heil. Damit soll noch nicht die literarische Einheit von 29, 1–7 bestritten sein, wohl aber ihre Authentizität.

Wie bereits erwähnt, verweist auch H. WILDBERGER, der 29, 1–7 ebenfalls als eine ursprüngliche Einheit ansieht, bei der Frage der Authentizität auf das Gesamt der jesajanischen Verkündigung. Berücksichtigt man jedoch, was bislang schon zu den sog. Zionstexten bei Jesaja ausgeführt wurde und was noch folgt, dann zeigt sich ziemlich eindeutig, daß alle in dieser Frage bemühten Texte gerade das nicht leisten können, was sie sollen. Diese Texte sind nämlich nicht jesajanisch. Nur dadurch, daß man den einen oder anderen als authentisch deklariert, ohne jedoch einen überzeugenden Beweis führen zu können, wird versucht, die übrigen als echte Jesajaworte zu erweisen.

In der Frage nach der Gesamtheit jesajanischer Verkündigung verweist H. WILDBERGER noch eigens auf die bei Jesaja sich findende Ambivalenz. Sie gehöre

»geradezu zu den Grundkategorien jesajanischer Theologie – man denke nur etwa an den »Restbegriff«: Ist der Name des Jesajasohnes Drohung oder Verheißung? Die Forschung hat immer wieder beides vertreten, der Disput ist nicht ausgetragen und kann nicht im Sinne eines Entweder-Oder entschieden werden . . . Ebenso ungelöst ist die Streitfrage, ob die Immanuelverheißung wirklich eine Verheißung und nicht vielmehr eine Drohung sei . . . Die Ambivalenz ist ebenso in der Beurteilung Assurs als Werkzeug des göttlichen Zornes und doch zugleich als Objekt göttlichen Gerichtes

[117] Siehe dazu unten S. 73–81.

68

„muß man demütig, geduckt, und aus dem Staub, in den man sich zum Zeichen der Demut geworfen hat, zu Gott flehen – so klein und niedrig, daß die Stimme nur noch wie das Zirpen eines Totengeistes flüstert . . . Das könnte noch helfen – wirklich ernsthafte Umkehr, Reue und Buße bis in den Staub, äußerste Selbsterniedrigung nach all dem Hochmut!" [134]

Hier spricht sich deutlich G. Fohrers Grundverständnis der jesajanischen Prophetie aus: „das Entweder–Oder von Untergang durch das göttliche Strafgericht oder Rettung durch Umkehr vom falschen Wege zu Gott hin" [135]. Ob dieses Grundverständnis ein nicht zu rechtfertigendes Vorverständnis ist, das kann hier noch nicht entschieden werden. Hier ist nur festzustellen, daß dieses Grundverständnis in den Text von 29, 1–7 hineingelesen, diesem aber in keiner Weise gerecht wird. Weitere Detailkritik findet sich u. a. bei J. Vollmer und F. Huber. [136] Im übrigen ist zur Kenntnis zu nehmen, daß G. Fohrer die hier referierte These zu 29, 1–7 zwar in seinem Jesajakommentar (²1967) vertritt, in ›Die Propheten des Alten Testaments‹ (1976) dagegen diesen Text Jesaja abspricht und einem unbekannten Propheten der nachexilischen Zeit zuweist. [137] Damit ist auch G. Fohrer in die Phalanx von O. Kaiser und W. Werner einzuordnen.

Überblickt man am Ende dieser Erörterungen zu Jes 29, 1–7 die [vor]getragenen Thesen und Argumente, dann wird man nicht umhin[kön]nen, zumindest 29, 5–7 – und damit die Argumentationsbasis [der Z]ionstraditions-Vertreter – dem Propheten Jesaja abzusprechen [und n]ur die vv. 1–4 als authentische Jesajaworte anzuerkennen. Be[ac]htigt man jedoch die von W. Werner eingebrachten Über[legunge]n, dann dürfte es nachgerade sicher sein, daß der gesamte Text [1]–7 zwar eine literarische Einheit ist, aber der exilisch-[nachexilis]chen Zeit zuzuweisen ist. Eine andere Alternative ist m. E. [unmögl]ich, sie bestünde nur aus lauter Postulaten und Vermu-

vorhanden, sie tritt aber auch in Erscheinung, wenn man 31, 1–3 neben 31, 8 liest" [118].

Nun wurde oben aber bereits gezeigt, daß sich sowohl die Frage nach dem Rest wie auch der Gerichtscharakter der Immanuelbotschaft recht eindeutig ausmachen lassen, wenn man nur authentische Texte berücksichtigt. [119] Ähnliches wird auch noch für die Assurtexte und 31, 1–3. 8 aufzuweisen sein. Sollte man bei der Frage nach dem Gesamtverständnis nicht doch vom Sicheren ausgehen und von da aus dann das Unsichere einer möglichen Klärung zuführen? Man hat mitunter den Eindruck, man gehe in der Jesajaexegese von einer Anhäufung von Unsicherem aus, um dann nach dem jeweiligen Vorverständnis erst das einigermaßen Sichere zu (miß)deuten.

An weiteren Autoren, die im Sinne von H. Barth und H. Wildberger votieren und sowohl die Einheit als auch die Authentizität von 29, 1–7 vertreten, sind zu nennen: J. H. Hayes [120], J. Scharbert [121], H.-P. Müller [122], O. H. Steck [123], K. Seybold [124], H.-J. Hermisson [125] und W. Zimmerli [126]. Auf sie noch eigens einzugehen erübrigt sich. Denn sie bringen keine neuen Aspekte, die über das bisher Dargelegte hinausführen würden. Zumeist setzen sie die Einheit und die Authentizität einfach voraus oder behaupten sie nur. Eine wirkliche Argumentation findet sich bei ihnen nicht. Deshalb bringen auch die Verweise von H. Barth und H. Wildberger auf diese Autoren de facto nichts ein.

Eine gewisse Sonderstellung nimmt allerdings E. Rohland ein. Er postuliert in 29, 1–8 vier jesajanische Einzelstücke (vv. 1–4; v. 5abα; vv. 5bβ. 6f.; v. 8), die später in einer nichtjesajanischen

---

[118] H. Wildberger, Jesaja III, 1103.
[119] Siehe dazu oben S. 27–39. 12–26.
[120] J. H. Hayes, Tradition, 424. 426.
[121] J. Scharbert, Propheten, 277 f.
[122] H-P. Müller, Ursprünge, 86. 88. 90.
[123] O. H. Steck, Friedensvorstellungen, 54 f. Anm. 149.
[124] K. Seybold, Königtum, 99 f.
[125] H.-J. Hermisson, Zukunftserwartung, 56 Anm. 8.
[126] W. Zimmerli, Grundriß, 174; ders., Verkündigung, 81 ff.

Redaktion zusammengestellt worden seien.[127] Kritisch nimmt dazu H.-M. Lutz Stellung:

„Diese Sicht wird den Spannungen zwischen den einzelnen Abschnitten ebensowenig gerecht wie den losen Stichwortverbindungen (v 7 mit vv 1–4a. 5abα; v 8 mit v 7), mittels deren sie aneinander gefügt sind. Beides zusammen wird nur hinreichend verständlich, wenn man nicht nur an der Zusammenstellung, sondern auch bereits bei der Abfassung der Stücke Epigonenhände annimmt. Abgesehen davon, kann man Jes 29, 5abα nur dann als »Spruchfragment« ansehen, wenn man annimmt, Jesaja habe sich selbst, und dazu noch schlecht, kopiert (Jes 17, 12 f.)!"[128]

Hierzu ist freilich noch anzumerken, daß gegen H.-M. Lutz Jes 17, 12–14 auch schon der exilisch-nachexilischen Eschatologie zugehört.[129]

O. Kaiser erwägt zwar, ob das Drohwort 29, 1. 2aα. 3 nicht vielleicht doch auf Jesaja selbst zurückgehen könnte, verwirft dann aber diese Überlegung und plädiert für die Einheit des Gedichtes 29, 1–7. Ob der „geschichtslosen Rettungsvorstellung tritt es mit 30, 27 ff. und 31, 4 ff. in eine Reihe"[130]. Er spricht den Text somit Jesaja ab und weist ihn einem apokalyptisierenden Dichter zu. Auch W. Werner hält an der Einheit des Liedes fest. Darüber hinaus stellt er zum Vokabular u. a. fest, daß jsp im Qal (v. 1) innerhalb von Jes 1–39 nur noch in den eindeutig späten Texten 26, 15; 29, 19; 37, 31 belegt ist. „Die Wendung t'njh w'njh begegnet nur noch Klgl 2, 5, wo Jahwe ebenfalls als der Feind der Seinen auftritt."[131] Liest man in v. 5 zarîm, und dies im Sinne von „Bedränger", vgl. dazu Ez 7, 21; 11, 9; Obd 11; Jer 51, 51, dann „liegt dem Sprachgebrauch in Jes 29, 5 eine Tradition zugrunde, die sonst innerhalb des Alten Testaments frühestens in exilischer Zeit belegt ist"[132]. Auf eine Spätdatierung weisen nach W. Werner aber auch noch religionsgeschichtliche Beobachtungen hin:

127 E. Rohland, Erwählungstraditionen, 162–168.
128 H.-M. Lutz, Jahwe, 104 Anm. 3.
129 Siehe dazu oben S. 49 ff.
130 O. Kaiser, Jesaja II, 211 f.
131 W. Werner, Eschatologische Texte, 180.
132 W. Werner, Eschatologische Texte, 181.

„– Sollte die Deutung von Jes 29, 1 auf das Neujahrsfest zutreffen, dann würde das frühestens in die exilische Zeit verweisen. Für das vorexilische Israel ist ein Neujahrsfest nicht hinreichend belegt.

– Das harte Nebeneinander von Unheils- und Heilsankündigung spricht – trotz immer wieder vorgetragener gegenteiliger Behauptung – nicht für, sondern in hohem Maße gegen die Jesajanität der Verse.

– Zu fragen ist, ob der Traumvergleich in Jes 29, 7, der religionsgeschichtlich die Ablehnung des Traumes als Offenbarungsmittel zur Voraussetzung hat, nicht erst in späterer Zeit denkbar ist. Zumindest sind die vergleichbaren Stellen Ijob 20, 8 und Ps 73, 20 eindeutig späten Datums.

– Die Vorstellung, daß Jahwe die Stadt Jerusalem in höchster Bedrängnis retten wird, nachdem er selbst die Feinde herbeigerufen hat, besitzt ihre älteste Motivvorlage in Ez 38 f. (Gog) und begegnet sonst nur noch in der nachexilischen Eschatologie. Der innerhalb von Jes 1–39 mit Jes 29, 5 am engsten korrespondierende Text Jes 17, 12–14 ist zweifelsohne nachexilischen Ursprungs.

– Sollte mit dem Ariel-Namen das Völkeropfermotiv anklingen, da steht eine Nähe zu den nachexilischen Texten Jes 30, 27–33; 34 Jer 46, 10; 48, 15; 50, 27; Ez 39, 17–20; Zef 1, 7.

Diese Erwägungen legen für Jes 29, 1–8 eine Spätdatierung geschichtliche Rettungsvorstellung läßt freilich eine genau ordnung des Textes nicht zu."[133]

Gegen die Argumentation von O. Kaiser man sich nicht gut auf die von G. Fohr nicht nur die Einheit von 29, 1–7, sonde janität verteidigt, dies freilich auf Weise. Für ihn ist das Wort im gan zwar scheltend und drohend nennt, unter der die verfahre lich die Rettung beschreib gung ereignen wird. D Verständnis von v. 4 Bedingung für ein ter Lage

133 W. Werner,

134 G. Foh
135 G. Foh
136 J. Vollme
137 G. Fohrer,

72

tungen. Wenn es sich nun aber nach H. WILDBERGER so verhält, daß 29, 1–7 so etwas wie ein Schlüssel ist, „der den Zugang zur jesajanischen Botschaft aufschließt" [138], dann muß man nach diesem Überblick allerdings feststellen, daß dieser Schlüssel nur ins Schloß nachjesajanischer, exilischer und nachexilischer Texte paßt, aber keinen Zugang zur Verkündigung Jesajas eröffnet. Versucht man trotzdem, von 29, 1–7 aus und mit Hilfe von 29, 1–7 Jesajas Botschaft zu erschließen, dann muß dies notgedrungen zu einer Fehlinterpretation führen. So kann Jesaja nur mißverstanden werden.

Jes 31, 1–9

„Eigentlich sieht das Kap. mehr wie ein Geröll von allerlei Brokken, denn wie ein einheitliches Stück aus, daneben wie ein Seitenstück zu c. 30." [139] Zumeist gliedert man den Text freilich in die zwei Einheiten vv. 1–3 und vv. 4–9, so z. B. B. DUHM, O. PROCKSCH, G. FOHRER, O. KAISER, H. WILDBERGER. Ist die Einheit 31, 1–3 verhältnismäßig unproblematisch, man weist den Text nahezu einhellig Jesaja zu, [140] so werfen die vv. 4–9 um so mehr Fragen auf. Wie ist v. 4 zu verstehen? Ist er Droh- oder Heilswort? Welche Verse gehen auf Jesaja zurück? Was ist als sekundär zu bestimmen? Einig ist man sich offensichtlich nur darin, daß v. 7 sicher ein späterer Zusatz ist.

B. DUHM hält v. 6f. für einen Einsatz, „der zu den zahlreichen jungen Stellen gehört, wo von der Abschaffung des Bilderdienstes gesprochen wird" [141]; v. 8b und v. 9 scheidet er ebenfalls aus. So verbleiben für Jesaja noch die vv. 4. 5. 8a. [142] K. MARTI geht noch weiter.

---

[138] H. Wildberger, Jesaja III, 1110.

[139] B. Duhm, Jesaia, 229.

[140] H. Donner, Israel, 135, scheidet v. 2 als späteres Interpretament aus, desgleichen auch J. Vermeylen, Isaie I, 420f.

[141] B. Duhm, Jesaia, 231. Auch H. Wildberger, Jesaja III, 1239, scheidet v. 6f. als nichtjesajanisch aus.

[142] B. Duhm, Jesaia, 232f.

„Jesajanisch sind in Cap. 31 die Verse 1–3 (bis ^cazur), die der gleichen Zeit entstammen, wie 30, 1–3; ferner v. 4 (von kā^{ɔa}šär an) mit den beiden ersten Wörtern von v. 5, ein Fragment wahrscheinlich aus derselben Zeit. – Diesem Fragment hat ein S p ä t e r e r eine mit der späteren Eschatologie übereinstimmende Umdeutung gegeben durch die Hinzufügung von v. 5 (von ken an), v. 8a und v. 9b. Diese Verse sind in ihrer Anschauung mit 30, 29–33 so verwandt, daß sie demselben Autor angehören werden. Auch HACKMANN und CHEYNE sprechen den Komplex v. 5–9 Jesaja ab. Jedenfalls sind alle Schlüsse unrichtig, die die Exegeten aus v. 9b dafür ziehen, daß Jesaja mit diesen Worten die Grundlage zu der Anschauung von der Alleinheiligkeit Jerusalems gelegt habe. – Von n o c h a n d e r n H ä n d e n rühren die Mahnung v. 6 und 7 und der Vierzeiler v. 8b. 9a her."[143]

Nach O. PROCKSCH liegt in 31, 4–9 ein dreistrophiger jesajanischer Text vor:

„Die erste Strophe (v. 4) verkündet Jahves Gericht an Zion, die zweite (v. 6. 5) Jahves Erlösungstat an Jerusalem. Die dritte (v. 8a. 9b) nennt Zion und Jerusalem, also Oststadt und Weststadt, als Schauplatz des Gottesgerichtes über Assur, in dem er zugrunde geht."[144]

Die vv. 7. 8b. 9a sind spätere Zusätze. Unter den neueren Kommentatoren scheidet H. WILDBERGER nur v. 6f. als nichtjesajanisch aus,[145] während G. FOHRER gar nur v. 8 die Authentizität abspricht.[146] Indem er v. 6 Jesaja zuordnet, kann er in der Umkehrforderung den entscheidenden Satz des ganzen Spruches erkennen und diesen als mahnendes und bedingt verheißendes Wort verstehen. Hier meldet sich wieder das Vorverständnis G. FOHRERS zu Wort. Wenn Jerusalem das Entweder–Oder von Gericht oder Heil ernst nimmt, dann hat es in der Umkehr die Möglichkeit, gerettet zu werden. Weil Jesajas Prophetie durch diese Alternative bestimmt sein soll, deshalb muß v. 6 jesajanisch sein. In der übrigen Literatur hat diese Zuordnung von v. 6 freilich keine Zustimmung gefunden. In-

---

[143] K. Marti, Jesaja, 233.
[144] O. Procksch, Jesaia, 409.
[145] H. Wildberger, Jesaja III, 1239.
[146] G. Fohrer, Jesaja II, 122 Anm. 147.

zwischen hat G. FOHRER jedoch seine Position geändert. In seinen
›Propheten‹ weist er 31, 4–9 dem ausgehenden 6. und 5. Jahrhundert v. Chr. zu.[147]

O. KAISER bestimmt, wie weithin üblich, die vv. 6. 7. 8b. 9a als
sekundäre Erweiterung. Den verbleibenden Grundbestand,
vv. 4. 5. 8a. 9b, den er als Heilsschilderung versteht, auch v. 4!,
schreibt er allerdings nicht Jesaja zu, sondern einem späten Dichter,

„den wir vielleicht schon unter die Apokalyptiker einreihen dürfen . . . Traditionsgeschichtlich steht unser Apokalyptiker unter dem Einfluß der legendären Erzählung von der Errettung Jerusalems 701, vgl. 36 f., und natürlich unter dem aller in der Auseinandersetzung mit dem Exilsgeschick und der prophetischen und kultischen Tradition entwickelten Vorstellungen von dem letzten Angriff und der letzten Befreiung des Zions. In einer Zeit, in der das Wechselspiel der Großmächte um Syrien und Palästina wie um die Weltherrschaft längst gezeigt hatte, daß es keine realen Chancen für die Wiederherstellung der Selbständigkeit und Freiheit durch das kleine jüdische Volk gab, richtete sich die Hoffnung dieses Volkes in erstaunlicher Weise auf seinen Gott, dem möglich ist, was Menschen unmöglich erscheint"[148].

Gehen die bisher genannten Autoren von der Einheit 31, 4–9 aus,
so beziehen neuerdings andere auch die vv. 1–3 mit in ihre Überlegungen zu den vv. 4–9 ein. Für H. DONNER besteht Jes 31 allerdings aus drei verschiedenen Spruchfragmenten: A = vv. 1. 3*; B =
v. 4*; C = v. 8a.

„Man muß nach Ausscheidung der Zusätze nicht eigens vom schwankenden Metrum ausgehen, um zu erkennen, daß Kap. 31 keine Einheit ist. Es handelt sich um ein Konglomerat von Spruchfragmenten oder ganzen Sprüchen, die formal und inhaltlich so stark differieren, daß man sie sorgsam auseinanderhalten muß."[149]

Doch stammen diese von Jesaja. Für J. VERMEYLEN gehen nur die
vv. 1. 3. 4 auf Jesaja zurück. Diese wurden später sukzessive erweitert um – in zeitlicher Reihenfolge –: v. 5; v. 2; v. 8 f.; v. 6 f.[150]

---

[147] Siehe dazu G. Fohrer, Propheten 5, 154 f.
[148] O. Kaiser, Jesaja II, 253.
[149] H. Donner, Israel, 135 f.
[150] J. Vermeylen, Isaie I, 420–424.

R. Fey dagegen rechnet mit einem wesentlich umfangreicheren Jesajawort, er streicht nur v. 6 f.

„Jes 31, 1–3 ist keine selbständige Einheit, sondern Teil des motivisch verklammerten Spruchzusammenhangs c. 31 (v. 6 f. ist Zusatz). Nicht nur Scheltwort 1 und Drohwort 2 f. einerseits sowie Zions-Verheißung 4 f. und Assur-Drohwort 8 f. andererseits sind jeweils in sich gerundet, sondern auch Scheltwort 1 und Verheißung 4 f. – die Machenschaften der *jrdim mṣrim* werden durch das *jrd* Jahwes bedeutungslos – sowie erstes und zweites Drohwort – 8a ist genau Antithese zu 3a – sind aufeinander abgestimmt."[151]

Der um v. 6 f. reduzierte Text ist jesajanisch.[152] O. H. Steck argumentiert so:

„Jes 31, 1–9 ist in V. 2 (?). 6. 7. 8b–9 mit nichtjesajanischen Zusätzen versehen . . .; der verbleibende jesajanische Textbestand V. 1 + 3. 4 + 5 + 8a ist entgegen verbreiteter Auffassung als ursprüngliche Einheit anzusehen: V. 8a weist auf V. 3 zurück. V. 4 ist keine Gerichtsankündigung gegen Jerusalem, was sprachlich möglich wäre, sondern, wie der Vergleich Jahwes mit einem Löwen, der seine Beute unbeirrt festhält, zeigt, als Heilshandeln zu fassen: Jahwe fährt auf den Zion herab, um ihn als seinen Besitz unbeirrt angesichts des assyrischen Angriffs zu wahren, vgl. V. 5; zuvor jedoch wird Jahwe (mit Hilfe Assurs) Ägypten und die Frevler in Juda–Jerusalem vernichten (V. 3b). Damit entspricht Jes 31 derselben differenzierten Sicht des Jahwehandelns wie (1, 21–26; 28, 14 ff.;) 29, 1–7, derzufolge Jahwe Feinde gegen Jerusalem selbst heranführt, um die Frevler dort zu vernichten, und gleichwohl jene Feinde abwehrt, um seine Stadt zu bewahren, und zwar auch hier durch ein seiner Völkerbändigung entsprechendes Einschreiten."[153]

Ebenso nimmt auch H. Barth an, daß Jes 31, 1–9 eine ursprüngliche authentische Einheit zugrunde liegt. Im Gegensatz zu O. H. Steck scheidet er aber auch noch v. 5 als sekundär aus und gegen R. Fey die vv. 5. 8b. 9, so umfaßt sein jesajanischer Grundbestand nur die vv. 1–4 + 8a. Gegen O. H. Steck und R. Fey vertritt er auch in der Interpretation von v. 4 eine andere Position, indem er die Alternative Unheils- oder Heilswort ablehnt. Hier gelte es, die Eigenart jesajanischer Heilserwartung zu berücksichtigen.

---

[151] R. Fey, Amos und Jesaja, 133 Anm. 1.

[152] R. Fey, Amos und Jesaja, 133–136.

[153] O. H. Steck, Friedensvorstellungen, 55 Anm. 150.

„Jesaja kennt keine unbedingten Rettungs- und Heilszusagen für die Menschen in Jerusalem und Juda; seine Heilserwartung ist vielmehr von vornherein, jedenfalls potentiell, gegenwartskritisch; entspricht das menschliche Verhalten nicht der Forderung Jahwes, so verbindet sich in Jesajas Sicht Jahwes Heilshandeln mit dem Vollzug des Gerichts."[154]

So birgt für ihn das Bild vom Löwen einen doppelten Aspekt: einerseits kauert der Löwe über der geschlagenen Beute, andererseits läßt er sie sich (durch die Assyrer) nicht streitig machen, sondern verteidigt sie. Deshalb spricht der

„formgeschichtlich komplexe Aufbau von 31, 1–4 + 8a, in dem ein Wehe-Spruch in eine Heilsankündigung ausläuft . . . nicht eigentlich gegen die Annahme einer solchen Einheit, sondern angesichts der Jesajanität der Textstücke eher für sie. Denn, wie wir gesehen haben, ist es für den Bau einer Reihe von jesajanischen Zukunftsworten in Kongruenz zur Eigenart der Heilserwartung des Propheten geradezu charakteristisch, daß sie in komplexer Weise Unheils- und Heilsaussagen miteinander verbinden. 31, 1–4 + 8a, dessen sachlich differenzierte Sicht des Heilshandelns Jahwes offen zutage liegt, steht formgeschichtlich in einer Linie mit 1, 21–26; 7, 4–9; 7, 13–17; 10, 33a + 11, 1–5; 28, 14 ff."[155].

Für die Einheit von 31, 1–4 + 8a soll schließlich auch noch sprechen, daß sie thematisch geschlossen ist, weil v. 3a mit v. 8a inhaltlich verklammert sei.[156]

Unabhängig von einer im Anschluß folgenden Erörterung der Aussage von v. 4f. ist gegen R. Fey, O. H. Steck und H. Barth zu fragen, inwiefern v. 3 und v. 8a inhaltlich verklammert und aufeinander bezogen sein sollen? In v. 3 geht es doch wirklich nicht um die Vernichtung Assurs, sondern um die Ägyptens und noch mehr um die Juda–Jerusalems. Daß Jahwe auch gegen Assur vorgehen wird, ist nicht einmal angedeutet. „Assur erscheint vielmehr am Horizont des V. 3b noch als Werkzeug Jahwes."[157] Wenn Jahwe sowohl in v. 3 als auch in v. 8a der jeweils Übermächtige ist, so erweist das

---

154 H. Barth, Jesaja-Worte, 84.
155 H. Barth, Jesaja-Worte, 86.
156 Vgl. H. Barth, Jesaja-Worte, 87.
157 H. Donner, Israel, 139.

noch lange keine ursprüngliche Einheit. Denn das ist er immer! Selbst ein literarischer Rückgriff auf v. 3 und eine terminologische Anleihe aus v. 3 können in einem solchen Fall nichts beweisen, weil schriftgelehrten Redaktoren ein solches Verfahren nicht fremd ist, wie gerade das Jesajabuch zeigt. So kann v. 8a sehr wohl von einer anderen Hand stammen als v. 3.

Doch noch bedenklicher und fragwürdiger ist die Argumentation von O. H. STECK und H. BARTH, wenn man ihre vorgebrachten Textverweise berücksichtigt. Denn die Texte, auf die da verwiesen wird, können, wie schon oben einmal erwähnt wurde, gerade das nicht leisten, was ihnen hier aufgebürdet wird. So sind nun einmal Jes 1, 21–26; 11, 1–5; 29, 1–7 sicher nicht jesajanisch.[158] Auch das Ecksteinwort, 28, 16 f., ist nicht sicher jesajanisch und sollte es dies je sein, dann muß es nicht im Sinne von O. H. STECK und H. BARTH interpretiert werden.[159] In 7, 13–17 liegt keine Verbindung von Unheils- und Heilsaussage vor.[160] Daß 31, 1–4 + 8a wie 7, 4–9 eine bedingte Heilsaussage sein soll, ist nicht wahrscheinlich zu machen, es sei denn, man rechne wie G. FOHRER 31, 6 Jesaja zu. Daß in 31, 4 die Bedingung implizit enthalten sein soll, ist ein reines Postulat.[161]

Aus den bisherigen Ausführungen zu 31, 1–9 geht hervor, daß sich in der Forschung kein einheitliches Bild abzeichnet. Die literarkritischen Entscheidungen gehen Hand in Hand mit der Frage, ob Jesaja hier (bedingtes) Heil ankündigt oder nur Unheil. Da der

---

[158] Siehe oben S. 35–39. 10 ff. 63–73.

[159] Siehe dazu oben S. 58–63.

[160] Siehe dazu R. Kilian, Verheißung, 30–46.

[161] Zur Kritik der Interpretation von v. 4 durch H. Barth siehe W. Dietrich, Jesaja, 184 Anm. 273, und J. Vermeylen, Isaie I, 422 Anm. 2: «La position de H. Barth ... nous paraît peu cohérente: l'auteur estime avec raison que le v. 4 doit être interprété indépendamment du v. 5 et reconnaît le sens menaçant de la phrase; cependant il admet en même temps que le v. 4 comporte un aspect de promesse: le jugement de Jérusalem est une œuvre de purification et de salut. Cette interprétation paradoxale d'*Is.*, XXXI, 4 ne s'appuie pas sur la lecture du verset lui-même, mais sur une théorie fondée avant tout sur *Is.*, I, 21–26 (passage que nous considérons comme deutéronomien).» Damit ist alles gesagt!

Drohcharakter der vv. 1. (2.) 3 unbestritten ist, geht es vor allem um die Aussage der Verse 4 und 5. Zwar ist bei v. 5 nicht ganz eindeutig zu klären, wer mit den Vögeln gemeint ist – ist es Jahwe, der den Zion so beschützen wird, „wie die über ihren Nestern hin und her flatternden Vögel ihre Brut verteidigen" [162], oder werden die ängstlichen Jerusalemer mit flatternden Vögeln verglichen? [163] –, aber der Heilscharakter dieses Verses ist gesichert: Jahwe schützt und rettet Jerusalem! Anders verhält es sich mit v. 4. Denn besagt das verwendete Löwenbild, daß wie ein Löwe seine Beute so auch Jahwe sein Eigentum Jerusalem gegen die aufgebotenen Völker verteidigt, dann ist v. 4a ein Heilswort. [164] Freilich kann in diesem Löwenbild auch der Angriff Jahwes gegen Jerusalem illustriert sein. Sowenig sich ein Löwe von seiner geschlagenen Beute verscheuchen läßt, sowenig läßt Jahwe sich in seinem Gerichtshandeln an Jerusalem stören. [165] Entschieden für den Drohcharakter von v. 4a spricht, wie u. a. J. VOLLMER und J. VERMEYLEN ausführen, daß der Löwe ansonsten im AT nicht Schutz und Schirm symbolisiert und daß in der Prophetie des 8. Jahrhunderts das Bild des Löwen, der seine Beute verteidigt, stets Drohung gegen Israel ist. „Wo Jahwe mit einem Löwen verglichen wird, geschieht es immer im drohenden Sinn . . ." [166] Auch die Fortsetzung in v. 4b spricht für ein solches Verständnis. Denn ṣbʾ ʿl ist außer hier nur noch Nu 31,7; Jes 29,7f. und Sach 14,12 belegt. Hat es an diesen Stellen jeweils sicher die Bedeutung von „in den Krieg ziehen *gegen*", dann besteht keine Veranlassung, für Jes 31,4 etwas anderes anzunehmen, gar Jahwe *„auf* dem Berg

---

[162] O. Kaiser, Jesaja II, 252. So auch H. Wildberger, Jesaja III, 1243.

[163] So O. Procksch, Jesaja, 407f.; G. Fohrer, Jesaja II, 121.

[164] So u. a. B. Duhm, Jesaja, 231; R. Fey, Amos und Jesaja, 134ff.; J. Schreiner, Sion-Jerusalem, 244ff.; G. J. Botterweck, Gott und Mensch, 121; O. H. Steck, Friedensvorstellungen, 55 Anm. 150; H. Wildberger, Jesaja III, 1240 f.

[165] So u. a. K. Marti, Jesaja, 231f.; O. Procksch, Jesaja, 406f.; J. Vollmer, Rückblicke, 174; W. Dietrich, Jesaja, 183ff.; J. Vermeylen, Isaie I, 422.

[166] J. Vollmer, Rückblicke, 174 Anm. 200. Zu Hos 11,10 siehe W. Rudolph, Hosea, 209–219.

79

Zion" gegen Assur kämpfen zu lassen. Ein solches Verständnis insinuiert nur die Aussage von v. 5. Der Vergleich mit dem Löwen, der über seiner geschlagenen und gerissenen Beute ist, wird aufs beste ergänzt durch die nachfolgende Erläuterung, daß Jahwe gegen den Zion kämpft. Das Bild und seine Interpretation sind kongruent. Liest man v. 4 für sich allein, dann ist er eindeutig.

Anders verhält es sich, wenn man v. 5 derselben Hand zuschreibt wie v. 4. Denn dann zwingt im Gesamt von v. 4f. der v. 5 dem v. 4 eine andere Aussage auf. Und insofern ist die Interpretation von O. Kaiser in sich konsequent.[167] Sein Versuch, zunächst allein von v. 4 her zu argumentieren, ist allerdings schwach, dazu muß er schon einen eben nicht starken Dichter postulieren.[168] V. 5 als ursprüngliche Fortsetzung von v. 4 zu verstehen, stößt freilich auf Schwierigkeiten. Denn zwischen v. 4 und v. 5 wechselt einerseits das Bild (Löwe–Vögel) und andererseits die Aussage (Unheil–Heil). Ein solcher Umschwung ist nicht gut einem Verfasser zuzuschreiben; hier ist viel eher mit J. Vermeylen anzunehmen, daß dies einer Relecture zuzuschreiben ist, in der ein vorgegebener Text auf Grund einer neuen geschichtlichen Situation neu und anders verstanden und ausgelegt wird. Ist so aber v. 4 von v. 5 zu trennen, dann ist er auch von vv. 6–9 zu trennen. Sie haben allesamt anderes im Auge als v. 4, in dem es um das Gerichtshandeln Jahwes an Jerusalem geht, derweil v. 8f. gegen Assur gerichtet ist. Die Verse 6 und 7 sind ohnehin anderer Provenienz.

Auf Grund der bisherigen Erörterungen besteht kein zwingender Grund, v. 4 die Authentizität abzusprechen. Das hat dann zur Folge, daß man annehmen kann, v. 4 sei ein versprengtes Jesajawort, das später sukzessive erweitert wurde. Wenn nun aber auch noch anzunehmen ist, daß der Anfang von v. 4 („Denn so sprach Jahwe zu mir") nicht ursprünglich, sondern redaktionell ist,[169] dann ist

---

[167] Man darf nur nicht übersehen, daß O. Kaiser auch seinen Grundbestand von 31, 4–9 nachexilisch ortet.

[168] Siehe dazu O. Kaiser, Jesaja II, 251f.

[169] Siehe dazu B. Duhm, Jesaia, 231; G. Fohrer, Jesaja II, 119; H. Donner, Israel, 136; H. Wildberger, Jesaja III, 1238.

schließlich doch zu fragen, ob 31, 4 nicht der Abschluß von 31, 1. (2.) 3 sein könnte. Dagegen kann man nur vom Metrum, nicht von der Sache her argumentieren. Da aber das Metrum in 31, 1–9 ohnehin sehr problematisch ist, da man allenthalben mit Überarbeitungen zu rechnen hat, kommt einem solchen Einwand keine entscheidende Bedeutung zu. Deshalb ist es immerhin möglich, in v. 4 den Abschluß von 31, 1. (2.) 3 zu sehen. Als solcher würde er besagen: die angestrebte Hilfe aus Ägypten (vv. 1. 3) ist sinn- und zwecklos, denn Jahwe selbst ist gegen Jerusalem zum Kampf angetreten, und er läßt sich in seinem Gerichtshandeln durch niemanden stören (v. 4). Da der Tenor der Schelte und Drohung in 31, 1. (2.) 3 nicht eigentlich gegen Ägypten als solches, sondern gegen die Machenschaften der Jerusalemer gerichtet ist, würde zumindest thematisch 31, 4 ein guter Abschluß von 31, 1. (2.) 3 sein.

Überblickt man das Vorgebrachte, dann ergibt sich als Resümee, daß man in Jes 31 höchstens die vv. 1. (2.) 3. 4 auf Jesaja selbst zurückführen kann. Und das bedeutet dann, daß die vielbemühte Zionstradition in Jes 31 nicht originär bezeugt ist. Gleichgültig, ob man sich O. Kaiser oder J. Vermeylen anschließen will, im Hinblick auf die postulierte Zionstradition ist das Ergebnis ein und dasselbe. Für O. Kaiser ist 31, 4–9 ohnehin nichtjesajanisch, und wenn man mit J. Vermeylen von 31, 4–9 nur v. 4 auf Jesaja zurückführt, und das ist m. E. überaus wahrscheinlich, dann bewahrt Jahwe den Zion nicht, dann greift er ihn an, hält dort Gericht. Eine Rettung ist nicht in Aussicht gestellt. Sie findet sich erst in den sekundären Erweiterungen. Daß in diesen Zusätzen der Name Assur vorkommt (v. 8a), ist nicht weiter verwunderlich und läßt auch keinerlei Rückschlüsse auf jesajanische Herkunft zu. Denn in einer Relecture ist es durchaus möglich, daß Assur als Chiffre verwendet wird, es genüge dafür der Hinweis auf Mi 5, 4f. und Jes 10, 24.[170]

---

[170] Für Jes 10, 24 gibt sogar H. Wildberger, Jesaja I, 419f., zu, daß hier Assur „Deckname für eine andere Weltmacht" ist. Er denkt an die spätere Perserzeit. Siehe dazu u. a. auch G. Fohrer, Jesaja I, 161.

Zur Frage der Authentizität dieses Textes stellt H. WILDBERGER fest: „Auf wenige Abschnitte des Jesajabuches ist in dieser Hinsicht so viel Druckerschwärze aufgewendet worden wie auf diesen, ohne daß ein Konsens erreicht worden wäre." [171] Verteidiger der Jesajanität finden sich von T. K. CHEYNE und O. PROCKSCH bis zu G. FOHRER und H. BARTH. [172] Auf der Gegenseite reihen sich die Namen von B. DUHM und K. MARTI bis hin zu O. KAISER. [173] Nun, es soll nicht noch mehr Druckerschwärze vergeudet werden. Im Rahmen der anstehenden Frage, ob Jesaja eine alte Zionstradition bezeugt oder nicht, genügt es, wenn man sich auf v. 32 beschränkt. Zu ihm ist mit J. VOLLMER anzumerken:

„Die Aussage aber, daß Jahwe den Zion gegründet hat, ist in der Tat auffällig und am ehesten geeignet, die Hypothese von der Ziontradition zu stützen. Ein Vergleich mit der ähnlichen Aussage in 28, 16, wonach Jahwe in Zion einen erprobten Eckstein gelegt hat, macht aber sofort stutzig. Dort ist es der Zion selbst, hier ein Stein in Zion. Dort sind es die $^{ca}nijê$ $^{c}ammô$, die in Zion Zuflucht finden werden, hier ist es der Glaubende $(m\ddot{a}^{c\dot{a}}m\hat{\imath}n)$, der nicht zu fliehen braucht. Während der Begriff $^{c}an\hat{\imath}$ in 14, 32 offensichtlich theologisch verstanden ist, gebraucht Jesaja ihn sonst nur im sozial-rechtlichen Sinn. Daß die »Armen« sich in Jahwe bergen, ist eine Hoffnung der späteren Zeit. Auf Grund dieser Eigentümlichkeiten fällt es schwer, 14, 32 Jesaja zuzuschreiben." [174]

---

[171] H. Wildberger, Jesaja II, 575. Siehe dazu auch die Literaturangaben bei J. Vermeylen, Isaie I, 297–303.

[172] T. K. Cheyne, Einleitung, 80–83; O. Procksch, Jesaia, 203; G. Fohrer, Jesaja I, 201 ff.; H. Barth, Jesaja-Worte, 14 f. Siehe dazu auch noch H. Donner, Israel, 110–113, der sich zwar zur Jesajanität des Textes bekennt und ihn historisch zu orten versucht, aber erkennen muß: „Die ursprünglich sozial gemeinten Ausdrücke »Arme, Elende« befinden sich bereits deutlich auf dem Wege zur Umschreibung des Begriffes »Fromme«; ein Weg, der in nachexilischer Zeit zu Ende gegangen worden ist." Ist dieser Text wirklich noch unterwegs, oder ist er nicht doch schon am Ende angelangt?

[173] B. Duhm, Jesaia, 124 f.; K. Marti, Jesaja, 130 ff.; O. Kaiser, Jesaja II, 43–48.

[174] J. Vollmer, Rückblicke, 193 f.

Den hier festgestellten Fakten kann sich auch J. VERMEYLEN nicht entziehen, obwohl er für Jesaja zu retten versucht, was immer nur möglich ist. Zur überlieferten Formulierung von v. 32b muß er eingestehen, sie sei «peu isaïenne, mais reflète des préoccupations qui sont celles de la communauté juive d'après l'exil». Wenn er darüber hinaus dann noch vermutet, v. 32b liege ein ursprünglich anders formuliertes Jesajawort zugrunde, so ist das ein reines Postulat.[175] Ist zudem als sehr wahrscheinlich anzunehmen, daß auch das Ecksteinwort (28, 16 f.*) selbst nicht authentisch ist,[176] dann kann man von ihm aus nicht gut für die Jesajanität von 14, 32 plädieren.

Will man nicht gleich den ganzen Text 14, 28–32 Jesaja absprechen, so muß man doch zumindest zur Kenntnis nehmen, daß es keine Argumente gibt, die ausreichen, um den in unserem Zusammenhang allein entscheidenden v. 32b als authentisches Jesajawort bestimmen zu können. Vielmehr ist es so, daß gerade v. 32b der nachexilischen Zeit zuzuweisen ist. Damit kann aber auch 14, 28–32 kein eindeutiges Zeugnis für eine Jesaja bekannte und von ihm aufgegriffene Zionstradition ablegen. Nur wenn man schon im vornherein zu wissen glaubt, Jesajas Verkündigung sei von dieser Tradition geprägt, wird man v. 32b diesem Propheten zuschreiben.

Jes 30, 27–33

Ob dieser Text überhaupt in der Erörterung der Frage nach der Zionstradition bei Jesaja zu berücksichtigen ist, hängt davon ab, wo man den Kampf Jahwes gegen Assur stattfinden und von woher man Jahwe kommen läßt. Üblicherweise nimmt man an, daß Assur zu Jerusalem zunichte wird. H. BARTH dagegen meint, der Ort der Vernichtung sei in Assurs Land zu lokalisieren. „Ja, die »Feuerstätte« V. 33 ist mit diesem Land wohl überhaupt gleichzusetzen ..."[177] Dann kommt Jahwe „von ferne", nämlich von Jerusalem nach As-

---

[175] J. Vermeylen, Isaie, 301 f.
[176] Siehe oben S. 58–63.
[177] H. Barth, Jesaja-Worte, 98 ff.

sur. Doch hat diese These keinen Anklang gefunden. Man wird auch weiterhin vermuten dürfen, daß Assur zu Jerusalem gerichtet wird. Und insofern ist auch dieser Text im Zusammenhang von Jesaja und die Zionstradition relevant. Für die Authentizität treten u. a. ein: B. DUHM, G. FOHRER, J. SCHREINER, H. WILDBERGER.[178] Kann B. DUHM noch fordern, „die Befürworter der Unechtheit hätten dafür irgendeinen sachlichen Grund angeben sollen", so weiß H. WILDBERGER, daß mittlerweile solche Gründe genannt wurden, trotzdem plädiert er für die Jesajanität. Diese kann er aber nur dadurch plausibel machen, daß er annimmt, das ursprüngliche jesajanische Orakel sei später überarbeitet worden. Dieser im wesentlichen kultisch orientierten Sekundärschicht rechnet er den „Namen" in v. 27 und die vv. 29. 32 zu. So erzielt er eine einheitliche Gerichtsankündigung gegen Assur, „die formal die Gattung der Theophanieschilderung verwendet"[179]. Auf diese Weise gelingt zwar eine Scheidung der Motive Theophanie und Opferfest, aber die im Text vorliegende Verbindung dieser beiden Vorstellungen reicht nach W. WERNER

„allein nicht aus, um Jes 30, 29. 32 als späteren Zusatz herauszulösen. . . . Die Entscheidung H. Wildbergers könnte einige Wahrscheinlichkeit für sich beanspruchen, wenn die Gedankenführung des Gedichtes sonst strenger verlaufen würde. Doch zeigt zum Beispiel der von H. Wildberger nicht beanstandete Vers Jes 30, 28 zur Genüge, zu welchen Bildfolgen der Verfasser fähig ist"[180].

Für die Schriftstellerei der nachexilischen Zeit scheint es geradezu symptomatisch zu sein, verschiedene Bilder und Traditionen miteinander zu verbinden.

Daß G. FOHRER in seinem Kommentar den Text noch für Jesaja in Anspruch nimmt, ohne dies näherhin zu begründen, hängt wohl doch wieder mit seiner Assur-Konzeption zusammen, für die er na-

[178] B. Duhm, Jesaia, 225–229; G. Fohrer, Jesaja II, 111–115; J. Schreiner, Sion-Jerusalem, 254 f.; H. Wildberger, Jesaja III, 1207–1225.

[179] H. Wildberger, Jesaja III, 1215. Auch B. S. Childs, Isaiah, 46–50, muß vv. 29. 32 als sekundär bestimmen, um den Rest für Jesaja retten zu können.

[180] W. Werner, Eschatologische Texte, 184.

türlich eine möglichst breite Textbasis sichern will.[181] Mittlerweile
hat G. Fohrer seine Ansicht zu 30, 27–33 jedoch geändert. In seinen ›Propheten‹ weist er den Text den Propheten des ausgehenden
6. und 5. Jahrhunderts zu.[182]

Ob der Eigenheiten, die in 30, 27–33 sprachlich wie sachlich begegnen, hat man schon seit langem die Authentizität bezweifelt.
Relativ vorsichtig äußert sich noch O. Procksch:

> „Die klassischen Linien Jesaias sind hier ins Barock aufgelöst, und man be-
> greift den seit Guthe (Zukunftsbild, S. 47) immer häufiger gewordenen Ein-
> spruch gegen die Echtheit (Smend Hackm Chey Ma Stä Bhl Gu Greßm
> Mow).“ [183]

H. Barth setzt – wie auch P. Auvray – den Text in der Zeit Josias
an und rechnet ihn seiner Assur-Redaktion zu.[184] Dann ist mit
Assur (v. 31) das noch existierende Assyrerreich gemeint. Zumeist
wird 30, 27–33 jedoch in nachexilischer Zeit angesiedelt.[185]

Gegen die Authentizität von 30, 27–33 sprechen nach F. Huber
folgende Gründe:

> „1. Die Sprache, in der Jes 30, 27–33 abgefaßt ist, zeigt an mehreren Stel-
> len kultische Geprägtheit. Bildungen von der Wurzel *nûp* (v. 28. 32) treten
> gehäuft in P auf. Mit dem absolut gebrauchten *ḥag* ist entweder das Passah-
> oder das Laubhüttenfest gemeint. Bilder aus dem kultischen Leben sind
> außerdem herangezogen, um die Freude der befreiten Israeliten (v. 29) und
> die Vernichtung der Assyrer (v. 33) zu schildern.
> 2. Die von G. Fohrer genannten Belege für die Darstellung des Gerichts im
> Bild des Opferfestes stammen alle aus späterer Zeit (auch Jes 34, 2 ff. wird
> allgemein für nichtjesajanisch gehalten).
> 3. Eine Theophanie, in der Jahwes Kommen Heil für Israel bedeutet,
> findet sich außer Jes 30, 27–33 und Jes 31, 4 nur in nachjeremianischen pro-

---

[181] Zur Assur-Konzeption G. Fohrers siehe unten S. 98–106.
[182] G. Fohrer, Propheten 5, 153 f.
[183] O. Procksch, Jesaia, 399.
[184] H. Barth, Jesaja-Worte, 102 f.; P. Auvray, Isaie, 274.
[185] So z. B. H. Donner, Israel, 164; O. Kaiser, Jesaja II, 244; W. Dietrich, Jesaja, 209 f.; J. Vermeylen, Isaie I, 416 ff.; W. Werner, Eschatologische Texte, 189 f.

phetischen Texten. Nun ist meiner Ansicht nach Jes 31, 4 kein Heilswort für
Juda, so daß Jes 30, 27–33 allein übrigbleibt. Auch B. S. Childs, der nicht
nur prophetische Texte berücksichtigt, stellt fest: »The greatest majority of
the cases in which the tradition of the theophany appears in words of promise
stem from the post-exilic period.«

4. In Jes 30, 27–33 wird für die Vernichtung Assurs kein Grund genannt.
Dies ist nach Jörg Jeremias für die kultprophetische Unheilsverkündigung an
andere Völker charakteristisch, während für die »kanonischen Unheilspro-
pheten vor dem Exil« gilt: »Vor allem aber haben sie die Völkerworte durch
verschiedenartige Anklagen bereichert und sie somit den Gerichtsworten gegen Israel angenähert.«

5. Zu prüfen wäre, ob die Vorstellung des Irreführens anderer Völker
durch Jahwe bei Jesaja denkbar ist und wo dieser Gedanke sonst noch auf-
taucht. Man könnte eine Verwandtschaft mit einem Zug der eschatologischen Prophetie vermuten, dem nämlich, daß Jahwe die Völker zum Kampf
gegen Jerusalem veranlaßt in der Absicht, sie zu vernichten.

6. Das schlagendste Argument hat meines Erachtens B. S. Childs genannt.
Er geht aus von dem Nebeneinander von Drohung gegen andere Völker und
Verheißung für Israel und stellt fest, daß »nowhere else in the primary oracles
of Isaiah are these two forms so combined«. Zwar finden sich Worte über
oder an andere Völker, die Heil für Israel implizieren, aber es findet sich
nicht die Kombination von Drohung gegen andere Völker und expliziter
Verheißung an Israel. Dies begegnet erst in eindeutig nichtjesajanischen
Texten, wie Jes 10, 24 ff.; 26, 20 ff.; 30, 23 ff.«[186]

Diese Ausführungen werden noch gestützt durch die Beobachtungen W. WERNERS, der u. a. aus der Nähe von 30, 27–33 zur Klei-
nen Jesaja-Apokalypse Jes 34 f. schließt, man müsse den Text nach
Tritojesaja ansetzen.[187] Man wird somit nicht umhinkönnen, auch
diesem Text die Authentizität abzusprechen.

Jes 2, 2–4

Das Problem der Authentizität dieses Liedes stellt sich schon
allein dadurch, daß 2, 2–4, von kleineren Unstimmigkeiten abge-

---

[186] F. Huber, Jahwe, 53 f.
[187] Siehe dazu W. Werner, Eschatologische Texte, 183–190.

sehen, auch noch in Mi 4, 1–3 belegt ist. So tun sich ganz von selbst eine Reihe von Fragen auf. Handelt es sich um ein ursprüngliches Jesaja- oder Michawort? Ist der Text überhaupt im 8. Jh. v. Chr. anzusiedeln oder gehört er ob seines Heilsuniversalismus frühestens der Exilszeit an? Hat ein und dieselbe Redaktion ihn in beide Schriften aufgenommen oder war er auch als redaktionelle Erweiterung zunächst nur einer Schrift zugehörig und dann welcher? Wie ist das Verhältnis dieses Textes zu den Zionsliedern zu bestimmen? Die umfangreiche Literatur, in der diese und andere Fragen diskutiert werden, kann auch hier nur paradigmatisch behandelt werden, wobei der neuesten Forschung besondere Beachtung geschenkt wird. Weitere Literaturangaben finden sich in den Kommentaren von H. WILDBERGER und O. KAISER sowie in den Arbeiten von M. REHM und J. VERMEYLEN.[188]

Für die Jesajanität von 2, 2–4 treten in der neueren Zeit u. a. ein: G. VON RAD[189], E. ROHLAND[190], R. MARTIN-ACHARD[191], H. JUNKER[192], J. SCHARBERT[193], N. LOHFINK[194], M. REHM[195], W. RUDOLPH[196], A. S. VAN DER WOUDE[197] und insbesondere H. WILDBERGER[198]. Er meint, es lassen sich

„keine Gründe namhaft machen, die entscheidend gegen die jesajanische Herkunft sprechen, und wenn nicht alles trügt, gehört Jes

[188] H. Wildberger, Jesaja I, 75; O. Kaiser, Jesaja I, 63 Anm. 14; M. Rehm, Messias, 239–248; J. Vermeylen, Isaie I, 114–133.

[189] G. von Rad, Stadt, 215 ff.

[190] E. Rohland, Erwählungstraditionen, 171–176.

[191] R. Martin-Achard, Israel, 56 ff.

[192] H. Junker, Civitas, 17–33.

[193] J. Scharbert, Propheten, 256 f.

[194] N. Lohfink, Bibelauslegung, 170.

[195] M. Rehm, Messias, 239–248.

[196] W. Rudolph, Micha, 77 f.

[197] A. S. van der Woude, Micha, 127–132.

[198] H. Wildberger, Jesaja I, 75–90. Zum mißglückten Versuch von H. Cazelles, Isaie, II, 2–5, 409–420, ein Substrat für Jesaja zu retten, siehe W. Werner, Eschatologische Texte, 152.

2, 2–4 dem Jerusalemer Propheten an, der weiß, daß »Jahwe ein Feuer in Zion und einen Ofen in Jerusalem hat« (31, 9 . . .)« [199].

Abgesehen davon, daß oben bereits 31, 9 Jesaja abgesprochen wurde,[200] gilt es festzustellen, daß H. WILDBERGER die Einwände der Bestreiter der Authentizität sehr global abtut. So ist z. B. nun einmal der Heilsuniversalismus, wie er hier belegt ist, kein Gegenstand der vorexilischen Prophetie; man kann da wirklich nur mit der Zionstradition argumentieren, aber eben sie ist hinsichtlich ihrer Datierung umstritten. Und Zweifelhaftes läßt sich nicht durch Zweifelhaftes bestätigen. Da im folgenden die Argumente der Gegenseite zu Wort kommen, kann hier auf eine ausführliche Diskussion verzichtet werden. So genüge der Verweis auf die Untersuchung von W. WERNER, der sich auch mit den wortstatistischen Argumenten H. WILDBERGERS (in ›Die Völkerwallfahrt zum Zion, Jes II, 1–5‹) auseinandersetzt und aufzeigt, daß die hier getroffene Auswahl mehr als fragwürdig ist.[201]

Gegen die Authentizität von 2, 2–4 sprechen sich in neuerer Zeit u. a. aus: E. CANNAWURF, S. HERRMANN, G. FOHRER, J. BECKER, P. AUVRAY, O. H. STECK, H.-J. HERMISSON, J. VERMEYLEN, O. KAISER und W. WERNER.[202] Wesentliches gegen die Jesajanität von 2, 2–4 bringt bereits K. MARTI vor,[203] aber im Zusammenhang der Frage nach der Zionstradition bei Jesaja interessiert natürlich besonders die Ansicht von Autoren, die ansonsten die Zionstradition als wesentliches Element der Verkündigung Jesajas vertreten. Dazu gehört außer O. H. STECK auch H.-J. HERMISSON, der gegen H. WILDBERGER [204] meint:

---

[199] H. Wildberger, Jesaja I, 80.
[200] Siehe dazu oben S. 73–81.
[201] Siehe dazu W. Werner, Eschatologische Texte, 152 f.
[202] E. Cannawurf, Authenticity, 26–33; S. Herrmann, Heilserwartungen, 141–144; G. Fohrer, Jesaja I, 47–51; J. Becker, Isaias, 47; P. Auvray, Isaie, 49–54; O. H. Steck, Friedensvorstellungen, 69; H.-J. Hermisson, Zukunftserwartung, 75; J. Vermeylen, Isaie I, 114–133; O. Kaiser, Jesaja I, 60–67; W. Werner, Eschatologische Texte, 151–163.
[203] K. Marti, Jesaja, 27 f.
[204] H. Wildberger, Völkerwallfahrt, 62–81, und ders., Jesaja I, 78 ff.

„Aber der Nachweis, daß der Text zur Zeit Jesajas möglich ist – weil die sprachlichen und traditionsgeschichtlichen Mittel bereits verfügbar sind – genügt nicht zum Erweis der Echtheit. Darüber hinaus wäre zu zeigen, wie sich der Text der übrigen Verkündigung Jesajas einfügt. *H. Wildbergers* Bemerkungen dazu (BK X/1, 88–90) bleiben zu allgemein. – Gegen Jesaja als Autor dieses Textes spricht, daß hier die künftige Rolle des Zion weit über das hinausgeht, was Jesaja sonst davon zu sagen hatte. Dort wird der Zion wieder sein, wie und was er im Anfang war – hier aber weit mehr! (vgl. 1, 26; 28, 16 . . .). Man müßte auch fragen, zu welcher Zeit Jesaja diesen Text verkündet haben sollte. *B. Duhm* . . . denkt an Jesajas Greisenalter, und in der Tat ist der Text in einer der vorangegangenen Verkündigungsperioden schwer denkbar; nur: nach 701 erst recht nicht! (vgl. 32, 9–14 . . .). – Läßt man Jes 2, 2–4 par. einmal beiseite, so begegnet das Thema »Völkerwallfahrt« in eschatologischer Wendung erstmals bei Deuterojesaja (49, 22 f.), dort noch in einem viel begrenzteren Gebrauch. Auch wenn sich von da aus keine direkte Brücke zu Jes 2, 2–4 schlagen läßt, so dürfte doch die Verkündigung Deuterojesajas terminus a quo für unseren Text sein."[205]

Auch nach O. H. STECK kann diese Weissagung nicht von Jesaja stammen, „weil sie anders als Jesaja davon ausgeht, daß der Zion erst der Gottesberg *wird*", während Jesaja wie auch die Zionstradition voraussetzen, daß der Zion bereits der Gottesberg *ist*. Außerdem sei zu berücksichtigen,

„daß Jesaja die Universalqualifikation des Zion, wie sie der Jerusalemer Konzeption entspricht, in seinen Heilsweissagungen sonst nie entfaltet, ja, überhaupt keine Heilsweissagungen ohne Verbindung mit Gerichtsaussagen bietet. Von dem Landjudäer mit seiner so kritischen Einstellung zum Zion als einer entbehrlichen Heilssetzung stammt die Weissagung auch nicht; sie setzt vielmehr die Gegenerfahrung von 587 und wahrscheinlich auch Deuterojesaja, sofern bei diesem die Vorstellung von der Völkerwallfahrt erst entsteht, voraus und ist sowohl bei der Jesaja- als auch der Micha-Redaktion aufgenommen worden"[206].

Von daher ist dann auch die These J. VERMEYLENS sehr problematisch, der annimmt, Jes 2, 2–4 stamme aus der Zeit der josianischen Reform mit ihrer Kultzentralisation. Deshalb sei hier auch keine

[205] H.-J. Hermisson, Zukunftserwartung, 57 Anm. 10.
[206] O. H. Steck, Friedensvorstellungen, 69 mit Anm. 210.

Völkerwallfahrt bezeugt, vielmehr handle es sich um die Wallfahrt aller Israeliten nach Jerusalem. Zur Stützung dieser Ansicht beruft er sich auf Jer 3,17, denn dort bezeichne *alle Völker* auf Grund des Kontextes «les divers groupes d'Israélites»[207]. Dagegen macht W. WERNER geltend, daß Jer 3,17 formal ein eigenständiger Spruch ist, der zwanglos als universalistisch ausgerichtete Fortführung von Jer 3,14–16 verstanden werden kann. Für die Interpretation von Jes 2,2–4 als Völkerwallfahrtstext – so wird er allgemein verstanden – spreche zudem, daß der zu *alle Völker* parallele Begriff *viele Völker* nirgendwo die vereinigten Israeliten, sondern stets die (fremden) Völker meine. Und das spricht dann eben für das Motiv *Völkerwallfahrt* und damit auch für eine nachexilische Datierung des Textes.[208] Ist so die Datierung J. VERMEYLENS abzulehnen, so ist andererseits doch festzuhalten, daß er auf Grund des Vokabulars Jes 2,2–4 dem Propheten Jesaja absprechen muß. Und bereits das genügt in der hier anstehenden Problematik.

Anders als bei H.-J. HERMISSON und O. H. STECK basiert die Argumentation W. WERNERS gegen die Authentizität von 2,2–4 nicht auf den Differenzen zwischen den Aussagen dieses Textes und einer wie auch immer postulierten Zionstradition, wie sie bei Jesaja belegt sein soll, sondern auf wesentlich objektiveren Kriterien. Einerseits stützt er sich auf terminologische Beobachtungen, anderseits befaßt er sich ausführlich mit den hier verarbeiteten Themen und Motiven. Auf Grund dieser Detailuntersuchungen kann er schließlich feststellen:

„Es dürfte inzwischen klar sein, daß nur ein nachexilisches Datum für Jes 2,1–4 (5) in Frage kommt. Innerhalb der jesajanischen Prophetie könnte der Text allenfalls dann einen Platz finden, wenn Texte wie Jes 9,1–6; 11,1–9 ebenfalls von Jesaja stammen würden, und wenn es nicht die Doppelüberlieferung in Mi 4,1–3 gäbe. Da die Worte aber eindeutig Deuterojesaja voraussetzen, da ferner die sonstigen Völkerwallfahrtstexte auch nachexilischen Datums sind, müssen wir unseren Text ebenfalls der nachexilischen Zeit zuweisen. Terminus ad quem ist die in Joel bezeugte Übernahme von Jes 2,4 =

---

[207] J. Vermeylen, Isaie I, 129. 114–133.
[208] Siehe dazu W. Werner, Eschatologische Texte, 153 f.

Mi 4, 3. Damit ist jedoch noch nicht der Zeitpunkt der Übernahme in das Jesajabuch fixiert, da Joel 4, 10 sich ja auf Mi 4, 3 beziehen könnte.

Die Art und Weise, nur indirekt von Jahwes Handeln zu reden, verbindet unseren Text mit Jes 9, 1–6 und 11, 1–9. Es fehlt allerdings die messianische Ausrichtung. Da man Joel 4, 10 mit O. Plöger in die Zeit zwischen der Wiedererrichtung des Tempels und dem Auftreten Esras und Nehemias stellen kann, da zudem Jes 2, 4 und Joel 4, 10 zeitlich nicht weit auseinander liegen müssen (Joel 4, 10 könnte eine polemische Spitze gegen das aktuell umlaufende Wort Jes 2, 2–4 = Mi 4, 1–3 darstellen!), legt sich auch für Jes 2, 2–4 das ausgehende 6. und beginnende 5. Jahrhundert v. Chr. nahe.

Der Zeitpunkt der Übernahme in das Jesajabuch läßt sich nur vermuten. Sollte sich Jes 11, 10 – was keineswegs sicher auszumachen ist! – auf Jes 2, 2–4 beziehen, dann wäre letzter terminus ad quem die abschließende Bearbeitung der Buchteile Jes 1–12." [209]

Berücksichtigt man über das bislang Vorgebrachte hinaus auch noch die Ausführungen von G. FOHRER und O. KAISER, der zudem auf den möglichen Einfluß der Korachiten auf diesen Text hinweist,[210] dann wird man auf Grund der neuesten Literatur und der darin vorgetragenen Argumente nicht umhinkönnen, diesen Text Jesaja abzusprechen und einem unbekannten Propheten der nachexilischen Zeit zuzuschreiben. Eine andere Position ist m. E. zur Zeit nicht mehr möglich.

Jes 10, 27b–34

Schließlich ist auch noch auf Jes 10, 27b–34 einzugehen, weil G. VON RAD meint, auch hier die altjerusalemische Zionstradition nachweisen zu können.[211] Auf den ersten Blick kann in der Tat der Eindruck entstehen: Ein Feind rückt gegen Jerusalem vor (vv. 27b–32), aber Jahwe rettet den Zion und schlägt den Feind vernichtend (v. 33 f.). Doch zu Recht mahnt B. S. CHILDS zur Vorsicht: "In our opinion, the evidence for this pattern in 10, 27ff. is too precarious to be used with any certainty." [212] Ungewißheit herrscht

---

[209] W. Werner, Eschatologische Texte, 163. 151–163.
[210] Siehe O. Kaiser, Jesaja I, 63.
[211] G. von Rad, Theologie II, 164.
[212] B. S. Childs, Isaiah, 62.

nicht nur in der Frage, ob der Text authentisch ist, fraglich ist genauso die Einheit, weil nicht selten v. 33 f. als spätere Erweiterung bestimmt wird. Fraglich ist die historische Situation und damit auch das Gesamtverständnis: Bedrohung und Rettung oder nur Gericht? Schlägt Jahwe Assur oder Jerusalem? Ob all dieser Unsicherheiten eignet sich der Text nicht als Argumentationsbasis für oder gegen die Zionstradition in der Verkündigung Jesajas. Deshalb werden im folgenden auch nur einige neuere Autoren berücksichtigt, um wenigstens die Problematik des Textes deutlich werden zu lassen.

Nach H. DONNER [213] kann man den Text nicht als „revelatorisches Phantasiegebilde" abtun, „bei dem der Schauende sich bewußt ist, daß das Gesicht seiner Phantasie entspringt, obgleich er es als Eingebung von Gott auffaßt" [214]. Der ungewöhnliche Anmarschweg des feindlichen Heeres kann nicht einer ekstatischen Vision entspringen, sondern muß einen historischen Hintergrund haben. Freilich bereitet die historische Einordnung des Spruches große Schwierigkeiten.

„Denn es ist nicht leicht, einen Feldzug gegen Jerusalem ausfindig zu machen, bei dem der Gegner statt auf der bequemen nordsüdlichen Verbindungsstraße im Gebirge vorrückte. Der Feldzug Sanheribs gegen Jerusalem 701 scheidet von vornherein aus; die Assyrer kamen damals überhaupt nicht aus dem Norden, sondern vom Südwesten aus der philistäischen Küstenebene. . . . Es gibt nach Lage der Dinge nur eine einzige Situation, aus der sich die Ungewöhnlichkeit der Marschroute befriedigend erklären läßt: die des syrisch-ephraimitischen Grenzkrieges." [215]

Dann ist die syrisch-efraimitische Koalition der Angreifer, deren Hybris von Jahwe geahndet wird, sollte es tatsächlich zum Kampf gegen Jerusalem kommen.

„Der Prophet hat auch im Augenblicke höchster Gefahr am Vertrauen auf Jahwes Zusage festgehalten und damit gerechnet, daß Jahwe sich gegen die »Hochgewachsenen« zur Wehr setzen werde. Er hat einen »Tag Jahwes« erwartet, an dem alles Hohe und Ragende umgehauen wird, damit Jahwe allein

---

[213] H. Donner, Israel, 30–38. Siehe auch ders., Feind, 46–54.
[214] So E. Jenni, Voraussagen, 18 Anm. 13.
[215] H. Donner, Israel, 35 f.

erhaben sei – einen Tag, wie er ihn selbst in 2, 11–17 hymnisch gepriesen
hatte."[216]

Um diese Konzeption vertreten zu können, muß H. DONNER zu-
mindest v. 33 für jesajanisch halten; v. 34 könnte allerdings eine
Glosse sein.[217] – Zur Kritik und Ablehnung dieser These sei auf
H. WILDBERGER und F. HUBER verwiesen.[218]

H. WILDBERGER, der den ganzen Text als eine Einheit versteht
und ihn wie H. DONNER Jesaja selbst zuschreibt, bringt 10, 27b–34
in Verbindung mit den antiassyrischen Aufständen, die von der Phi-
listerstadt Asdod ausgingen (713–711 v. Chr.). Damals ließ Sargon
von Samaria her die assyrischen Truppen an der Nordgrenze Judas
aufmarschieren, um Jerusalem in Schach zu halten. Sollte der Text
sich tatsächlich auf diese Situation beziehen – H. WILDBERGER ge-
steht allerdings ein, „daß sich kein Versuch historischer Einordnung
zu unbezweifelbarer Gewißheit erheben läßt"[219] –, dann

„kann das Wort nur als Gerichtsandrohung gegen Jerusalem, das
sich leichtsinnig und aus Unglauben einer falschen Politik verschrieben hat,
verstanden werden. Eben davon sprechen aber explizit die beiden letzten
Verse des Kapitels. Daß der Feind gerade die führenden Kreise, die mit den
»Hochragenden« gemeint sein müssen, treffen werde, ist nicht anders zu erwarten. Der Gedanke des Gerichts über die Hybris, wie seine Formulierung . . ., ist durchaus jesajanisch (s. z. B. 2, 11). Es besteht kein Grund, die
beiden Verse Jesaja nicht zu belassen, wenn auch zuzugeben ist, daß V. 34
ein Zusatz sein könnte"[220].

Wenn es tatsächlich so sein sollte, wie H. WILDBERGER annimmt,
dann wirft dieser Text für die Zionstradition bei Jesaja allerdings
nichts ab, weil hier dann keine wunderbare Errettung Jerusalems
angesagt ist. Bedenken erweckt jedoch der Umstand, daß der heran-

---

[216] H. Donner, Israel, 38.
[217] H. Donner, Israel, 37.
[218] H. Wildberger, Jesaja I, 427; F. Huber, Jahwe, 32 f., der angesichts
der Unsicherheiten bei der Deutung von Jes 10, 27b–34 darauf verzichtet,
diesen Text für das Thema seiner Arbeit auszuwerten!
[219] H. Wildberger, Jesaja I, 428.
[220] H. Wildberger, Jesaja I, 428.

ziehende Feind zwar Assur sein soll, das Gericht in v. 33 f. aber
offenbar nur von Jahwe vollzogen wird. Das läßt doch eher darauf
schließen, daß v. 33 f. ein späterer Zusatz oder 10, 27b–34 als Ganzes eine späte Dichtung ist, für die dann freilich anzunehmen wäre,
daß in v. 33 f. nicht Jerusalem, sondern der nicht genannte, ins Dun-
kel gehüllte Feind von Jahwe vernichtet wird. Das würde dann in
etwa mit den Vorstellungen der späten Texte Jes 8, 9 f.; 17, 12–14;
29, 1–8 übereinstimmen.

G. FOHRER hält 10, 27b–32 für jesajanisch und sieht im heran-
rückenden Feind Assur. Daß dieser nicht die übliche Hauptstraße
benutzt, sondern auf Nebenwegen im Schutz der Berge vorrückt,
soll bedeuten,

> „daß der Assyrer nicht offen als Vollstrecker des göttlichen Gerichts, son-
> dern listig und heimtückisch zu Überfall und Überrumpelung kommt. Es
> spiegelt sich darin die Einsicht Jesajas wider (10, 5–15), daß der Assyrer
> nicht Werkzeug Gottes sein, sondern in eigener Machtvollkommenheit er-
> obern will" [221].

10, 33 f. geht dann auf einen unbekannten späten Verfasser zurück
und wurde erst bei der Bearbeitung des Jesajabuches dem vorherge-
henden Jesajaspruch angeschlossen.[222] Obwohl die Trennung der
vv. 27b–32 von v. 33 f. zunächst einleuchtend erscheint – deshalb
wurde sie auch schon früher vertreten –, muß man sich doch fragen,
was die vv. 27b–32 ohne v. 33 f. wollen und sollen! Man muß dann
wie G. FOHRER vermuten, der Spruch vv. 27b–32 sei wohl nicht
vollständig erhalten.[223] Überzeugender ist da schon der Lösungsvorschlag O. KAISERS, der 10, 27b–34 als eine Einheit bestimmt.
Doch sollen die Verse 33–34 statt vom Los der Angreifer ursprünglich vom Los der Angegriffenen gehandelt haben. Das Ganze ist freilich nicht jesajanisch, sondern eine redaktionelle Bildung, die

> „im Zusammenhang mit der im Schatten der Weltgerichtserwartung ausge-
> bildeten Vorstellung von dem verhängnisvoll über Jerusalem und Juda brau-

---

[221] G. Fohrer, Jesaja I, 164.
[222] G. Fohrer, Jesaja I, 164.
[223] G. Fohrer, Jesaja I, 162 f.

senden Völkersturm zu sehen" sei, „wie sie sich in 3, 1–4, 1 niedergeschlagen hat" [224].

Wie man diesem kurzen Überblick entnehmen kann, ist weder die Authentizität noch die Aussage dieses Spruches hinreichend gesichert. So ist es ratsam, ihn bei der Frage nach der Zionstradition in der Verkündigung Jesajas gar nicht zu berücksichtigen, wie es auch zumeist geschieht.

Fazit

Die hier vorgenommene Erörterung der für die Zionstradition bei Jesaja relevanten Texte mag vielleicht allzu ausführlich erscheinen, sie ist es aber dennoch nicht. Denn gerade dieses Thema bestimmt ganz wesentlich die neuere Jesajaexegese, gleichgültig in welcher Weise man dazu Stellung nimmt. Zwar finden sich in der wissenschaftlichen Literatur (z. B. bei O. KAISER, G. WANKE, W. WERNER) sehr qualifizierte Einwände gegen die Annahme, Jesaja basiere in seiner Verkündigung auf dieser Tradition, das ändert aber nichts daran, daß die von G. VON RAD vertretene These weithin Anklang gefunden hat. Diesem Entwurf konnten und können sich viele anschließen. So kam es denn auch zu einem Vorverständnis, das für die Jesajaexegese maßgebend geworden ist.

Um dieses Vorverständnis abzubauen und als nicht gerechtfertigt zu erweisen, war es notwendig, alle in Frage stehenden Texte zu erörtern, weil die üblichen Querverweise von einem fragwürdigen Text auf einen anderen genauso fragwürdigen Text den Eindruck erwecken könnten, als sei das erst zu Erweisende bereits erwiesen. Die Diskussion aller in Frage kommenden Texte ergibt nun allerdings, daß für gar keinen eine eindeutige Authentizität zu erweisen ist. Nicht einmal Jes 8, 9f.; 17, 12–14; 14, 24–27, das sind die Hauptzeugen für H.-M. LUTZ, können beanspruchen, jesajanischen Ursprungs zu sein. Und wenn sich H.-J. HERMISSON insbesondere auf Jes 1, 21–26 und dann auch noch auf 28, 16f.; 29, 1–7 und 31, 4–5 beruft, so muß auch er die Beweise für die Authentizität die-

[224] O. Kaiser, Jesaja I, 234.

ser Texte schuldig bleiben. Kein einziger dieser „Schlüsseltexte" kann für sich in Anspruch nehmen, wirklich authentischer Jesajatext zu sein. Gar alles deutet darauf hin, daß diese Belege exilischer, aber wahrscheinlich sogar erst nachexilischer Herkunft sind. Sind jedoch nicht einmal diese „Schlüsseltexte" jesajanisch, dann ist es auch um die anderen Textzeugen für die Zionstradition bei Jesaja nicht zum besten bestellt, weil sie ja nur im Licht der vorgenannten Stellen als jesajanisch erwiesen werden können.

Konnte G. VON RAD noch behaupten, daß der Zusammenhang Jesajas mit der altjerusalemischen Tradition, wie sie in den Zionspsalmen belegt sein soll, mit Händen zu greifen ist, dann hat sich hier nun gezeigt, daß die in Frage kommenden Texte gar nichts mit Jesaja zu tun haben, sondern einer viel späteren Zeit entstammen. Wie nun allerdings der nicht zu leugnende Zusammenhang der hier behandelten Texte mit den Zionspsalmen zu erklären ist, das ist eine andere Frage. Haben nachexilische Autoren und Redaktoren des Jesajabuches auf die vielleicht alten Psalmen zurückgegriffen und sich der dort belegten Vorstellungen bedient? Theoretisch wäre das immerhin möglich. Da andererseits jedoch die von der Zionstradition geprägten oder zumindest beeinflußten Texte in Jes 1–39 der nachexilischen Zeit zuzuweisen sind, diese Texte also auf keinen Fall das hohe Alter der Zionstradition erweisen oder bestätigen können, muß man auch mit der Möglichkeit rechnen, daß sowohl die sekundären Zionstexte im Jesajabuch als auch die Zionspsalmen selbst allesamt erst in der nachexilischen Zeit entstanden sind. Die Wahrscheinlichkeit spricht eher für diese Annahme. Da aber im Rahmen dieser Jesajastudie das Problem der Zionspsalmen und der Zionstradition nicht gelöst werden muß, kann hier diese Frage auf sich beruhen bleiben.

Gegen die Spätdatierung der hier besprochenen Texte in Jes 1–39 kann nicht vorgebracht werden, daß einzelne Vorstellungen, Motive und Bilder doch tatsächlich alt sind oder sein können. Denn es gehört nun einmal mit zur Eigenart der späten Schriftstellerei, auf Vorgegebenes zurückzugreifen und dieses zu verwerten. So greifen manche Texte auch altes jesajanisches Gut auf und führen es fort, interpretieren es, freilich auf eine neue, nichtjesajanische Weise. Eine solche Relecture führt durch ihre Zusätze und Erweiterungen dann auch dazu, daß alte Droh- und Gerichtsworte durch Hinzufügung einer Heilszusage abgemildert oder gar umfunktioniert werden. Dies zu erkennen, ist äußerst wichtig, weil man sonst die Ambivalenz der Texte, das unausgegorene, sich widerstreitende Nebeneinander von Unheils- und Heilsankündigungen als typische Eigenart jesajanischer Prophetie mißverstehen kann, aus der heraus man dann eine noch eigenartigere jesajanische Theologie entwickelt. Solche Konstruktionen, mit Scharfsinn und theologischem Tiefgang ausgedacht und vorgetragen, sind freilich dann vonnöten, wenn man die redaktionsgeschichtlichen Komponenten der Einzeltexte wie des gesamten Buches ignoriert.

Erkennt man, daß in den hier behandelten Zionstexten späte Dichter und Redaktoren sich zu Wort melden, dann erklärt sich auch, daß das von G. VON RAD postulierte Grundschema „erstaunlich vielseitig" variiert ist.[225] Das ist dann allerdings nicht auf die poetische Kraft Jesajas zurückzuführen und auch nicht darauf, daß „der Prophet freilich in jedem Einzelfall die alte Überlieferung zu etwas ganz Neuem macht"[226] – mit einer solchen Hypothese kann man schließlich alle Widersprüche und Ungereimtheiten unter einem Hut vereinigen –, sondern hängt ganz einfach damit zusammen, daß hier verschiedene Autoren am Werk waren, hängt vielleicht auch noch damit zusammen, daß das postulierte Grundschema gar nicht so alt und deshalb auch gar nicht so verbindlich war.

[225] G. von Rad, Theologie II, 163.
[226] G. von Rad, Theologie II, 164.

IV. JESAJA UND ASSUR

Ein weiterer Problemkreis zeigt sich bei der Frage nach der Stellung Jesajas zur assyrischen Großmacht. Zunächst ist Assur dazu bestimmt, Jahwes Gericht an Juda/Jerusalem zu vollziehen.

„Ihre Truppen pfeift Jhwh aus der Ferne herbei (5, 25–29), sie besiegen Damaskus und Samaria (8, 1–4), überschwemmen Juda (8, 5–8) und verwüsten es völlig (7, 20). In einer kühnen Schau sieht Jesaja seinen Gott als den Herrn und Gebieter selbst der damaligen Weltmacht. Jhwh pfeift sie herbei, sie ist seine Waffe und sein Schlagstock (10, 5). Nichts geschieht ohne seine Anordnung. Das Vordringen der Assyrer nach Syrien und Palästina erfolgt aufgrund seiner Gerichtsbeschlüsse gegen andere Völker. Die Hilfe, die sie Juda anscheinend bringen, bemäntelt in Wirklichkeit die Verschwörung Jhwhs gegen Juda; denn wenn sie dessen Angreifer vernichtet haben, werden sie auch über es herfallen, so daß das Rettungsschwert von Jhwh zugleich als Richtschwert gezückt wird (8, 11–15).

Im zweiten und dritten Zeitraum seiner Wirksamkeit – im syrisch-ephraimitischen Krieg und in den ersten Regierungsjahren Hiskias (716–711) – hat Jesaja diese Betrachtungsweise durchgehalten: die Assyrer als das Werkzeug Jhwhs, das auf seinen Wink herbeieilt, seine Befehle ausführt und in seinem Auftrag das Gericht an den Völkern vollstreckt. Diese Beurteilung ändert sich im letzten Zeitraum der Wirksamkeit des Propheten (705–701)."

Dieser Wandel „ist vor allem dadurch verursacht, daß Jesaja das Vorgehen der Assyrer längere Zeit und teilweise aus größerer Nähe beobachtet und dabei allmählich erkannt hatte, wes Geistes Kind die Großmacht war" [1].

Als Gründe für diesen Umschwung Jesajas in der Beurteilung Assurs nennt F. WILKE *die veränderte Situation,* in der sich Juda 701 v. Chr. befand, *das Verhalten Judas,* wenigstens ein Rest treuer Jahweverehrer habe sich herausgebildet, und *das Verhalten der Assy-*

---

[1] G. Fohrer, Wandlungen, 19.

98

rer, die sich grausam und überheblich aufspielten.[2] Diese Argumentation bestreitet F. Huber und vermutet seinerseits,

„daß Jesaja auch mit den Worten gegen Assur den Judäern die *Furcht vor dem übermächtigen Feind nehmen* wollte und sie *zum Vertrauen auf Jahwe ermutigen* wollte. Mit den Drohworten gegen Assur verfolgte Jesaja demnach die Verkündigungsabsicht, *Juda zu dem Verhalten zu ermutigen, das dem Verhältnis Jahwe–Juda entsprach.*

Aus den Unheilsverkündigungen gegen Assur spricht nicht das Bewußtsein unbedingter Sicherheit Judas oder Jerusalems. Nicht die bedingungslose Sicherheit Judas ist das Thema dieser Worte, sondern das Verhältnis Judas zu Jahwe. Juda soll aus seiner Abwendung von Jahwe herausgerissen werden, indem Jahwe die Initiative ergreift und in der Not mit einem Beweis seiner Zuneigung und Verläßlichkeit entgegenkommt"[3].

Mit der Eigenart der jesajanischen Assurverkündigung befaßt sich ausführlich auch W. Dietrich, der sich bemüht, den historischen und exegetischen Gegebenheiten gleichermaßen gerecht zu werden.[4] Wie G. Fohrer und F. Huber konstatiert auch er eine Ambivalenz in der Beurteilung Assurs durch Jesaja, das einerseits als Strafwerkzeug Jahwes fungiert, andererseits aber selbst unter das Gericht Jahwes gestellt ist, was zuweilen verbunden sei mit einer expliziten Heilsankündigung für Jerusalem oder ganz Juda.

„Wir stehen, so scheint es, vor einer Aporie: Konnte Jesaja in ein und derselben geschichtlichen Situation – vor dem Eintreffen Sanheribs 701 – eine solche Doppelbotschaft ausrichten, deren beide Teile einander doch eigentlich ausschließen? Wenn ja: handelt es sich dann um unausgeglichene Widersprüche oder um eine tiefsinnige Dialektik? Oder ist anzunehmen, daß der Prophet seinen Landsleuten zuerst Unheil und danach Heil, bzw. umgekehrt: zuerst Heil und danach Unheil angesagt hat? Wie ließe sich der hiermit postulierte Umschwung in der Beurteilung Assurs erklären? Die Jesaja-Forschung bietet in diesem Punkt ein verwirrend kontrastreiches Bild . . ."[5]

---

[2] F. Wilke, Jesaja, 96–120.

[3] F. Huber, Jahwe, 66. Siehe auch ebd., 38 ff.

[4] W. Dietrich, Jesaja, 100–196; bes. 100–114.

[5] W. Dietrich, Jesaja, 106 f.

F. Wilke, G. Fohrer, W. Zimmerli[6], F. Huber[7] u. a. m. lösen, wie oben schon angedeutet, das Problem durch die Annahme,
Jesaja sei im Laufe seiner Spätzeitverkündigung deutlich geworden,
daß Assur in seiner Hybris die Grenzen seiner Befugnisse über-
schritten hat und deshalb gerichtsreif geworden ist. Dagegen wendet
W. Dietrich u. a. ein, man hätte auch schon an der rabiaten Liqui-
dierung des Nordreiches und an der Zerschlagung des Aufstandes
von 713 erkennen können, wie die Assyrer vorgehen.

„Ferner ist auf Jes 1, 4–9 und 22, 1–14, die vermutlich letzten Worte Jesajas,
hinzuweisen: In 1, 5 ff. beschreibt er das todwunde Juda von 701 – und verrät
dabei wohl Trauer, aber keinerlei Überraschung über das furchtbare Geschehen, bricht auch nicht in einen Racheschrei gegen die Assyrer aus, sondern macht im Gegenteil seinen eigenen Landsleuten die heftigsten Vorwürfe
(V. 4). Deutlicher noch deklariert er in 22, 11b den wilden Ansturm der
feindlichen und das klägliche Versagen der judäischen Truppen (V. 5–7 bzw.
2b. 3) im nachhinein noch als Jahwes eigenes Werk. Schließlich ist hier an Jesajas Haltung während der syrisch-ephraimitischen Krise zu erinnern: Er hat
ja nicht, als er nach einiger Zeit Juda Unheil ansagen mußte, die Drohungen
gegen die Koalition zurückgenommen, sondern eben die Bestrafung beider
Parteien angekündigt. Warum sollte er dann im Jahr 701, nur weil angeblich
Assur sich einer Übertretung schuldig gemacht hatte, den Gerichtsbeschluß
gegen Juda als aufgehoben betrachtet und plötzlich Jahwes Eingreifen zu-
gunsten des von ihm abgefallenen Volkes geweissagt haben?"[8]

Mit dieser letzten Frage schießt W. Dietrich wohl über das Ziel
hinaus. Denn daß Jahwe nun auch Assur richtet, besagt noch nicht
eo ipso, daß er damit den Gerichtsbeschluß gegen Juda aufgehoben
hat, und deshalb kann Jesaja auch noch 701 seinen Landsleuten
Vorwürfe machen.

Daß die anstehende Frage nicht mit der Annahme eines zeitlichen
Nacheinander gelöst werden kann, zeigt W. Dietrich dann auch
noch an der Position von O. Procksch auf, der die zeitliche
Reihenfolge 'pro Assur–contra Assur' umkehrt und annimmt,

---

[6] W. Zimmerli, Jesaja und Hiskia, 202.
[7] F. Huber, Jahwe, 59.
[8] W. Dietrich, Jesaja, 108.

die meisten Anti-Assur-Worte fallen nicht, wie üblich angenommen, ins Jahr 701, sondern in die Zeit zwischen 720 bis 713; denn damals hätte Jesaja auf die Rettung Judas gehofft. So habe dann der Prophet nach 713 und besonders nach 705 seinem Volk Unheil angekündigt. Hierbei stützte sich O. Procksch freilich lediglich auf die

> „von Redaktorenhand geschaffene Abfolge der Prophetenworte in Jes 10–20 . . . und auf den entscheidenden Zeitraum 705–701 wagt Procksch die Theorie, daß Jesaja zunächst Assurs Hybris, dann Judas eigenmächtige Bündnispolitik mit göttlicher Strafe bedroht habe, gar nicht erst anzuwenden – eben weil die Sammler und Redaktoren in den vor allem hierher gehörigen Kapiteln Jes 28 ff das Material eher nach dem gegenteiligen Prinzip angeordnet haben"[9].

Ebenso wendet sich W. Dietrich auch gegen jene Exegeten, die gar keinen abrupten Umschwung in Jesajas Haltung gegenüber Assur feststellen können, sondern die divergierenden Aussagen nur als verschiedene Seiten eines komplexen Verkündigungszusammenhanges verstehen und behaupten,

> „Jesaja sei eben beides als notwendig und unabwendbar erschienen: die Bestrafung Judas *und* die Rettung Jerusalems, die Verwendung Assurs als Jahwes Gerichtswerkzeug *und* die Demütigung der ihre Grenzen verkennenden Weltmacht"[10].

Desgleichen leugnet er auch eine Zweistufigkeit in der Erwartung Jesajas, die sich inhaltlich so artikuliert:

> „Die Judäer müssen für ihren Unglauben bestraft werden – und dazu bedarf es noch der ungebrochenen Macht Assurs; gleichzeitig aber ist sich der Prophet bewußt, daß Assur sich gegenüber Jahwe verselbständigt hat und darum dem göttlichen Gericht verfallen muß – aber erst, wenn es den Strafauftrag an Juda ausgeführt hat."[11]

[9] W. Dietrich, Jesaja, 109.
[10] W. Dietrich, Jesaja, 110. Dort finden sich auch die entsprechenden Literaturhinweise.
[11] W. Dietrich, Jesaja, 110 (f.), mit weiteren Varianten, Kritik und Literaturhinweisen.

Dafür, daß man den Umschwung Jesajas in seiner Assurverkündigung nicht zu dramatisieren oder gar als Bruch in seinem Denken zu verstehen hat, setzt sich übrigens auch H. Wildberger in seinen Ausführungen zu Jes 10, 5–15 ein.

„Der Abschnitt ist in der Tat bedeutsam für Jesajas Geschichtsverständnis. Von einem Wandel im Urteil Jesajas über Assur zu sprechen ist aber zum mindesten mißverständlich. Nie hat er Assur verherrlicht. Er braucht nichts von dem zurückzunehmen, sondern kann nur bestätigen, was seine frühere Botschaft über Assur war, nämlich, daß es »Rute« in Jahwes Hand sei. Aber daran, daß auch die Großmacht Jahwe untertan ist und somit seinen Willen zu vollstrecken hat, zweifelt Jesaja keinen Augenblick. Hingegen – und darin führt hier Jesaja über früher Gesagtes hinaus – kann das auf keinen Fall bedeuten, daß Jahwe das Verhalten Assurs einfach billigen könnte. Auch die Großmacht steht keineswegs außerhalb der für alle Welt gültigen Ordnung, und wenn sie diese Ordnung tangiert, lädt sie »Fluch« auf sich.“ [12]

Nachdem W. Dietrich schließlich auch noch jenen Autoren eine Absage erteilt hat, „die dem Jesaja alle antiassyrischen Äußerungen absprechen und diese als nachträgliche Umbiegung seiner Gerichtspredigt gegen Juda erklären“ [13], trägt er seinen Lösungsvorschlag vor, den er dann durch umfangreiche Texterörterungen zu stützen versucht. [14]

„Grundsätzlich ist der Theorie vom Umschwung in der Botschaft Jesajas zuzustimmen. Freilich hat der Prophet nicht, wie von den Verfechtern dieser These durchweg angenommen, zuerst Judas Züchtigung durch Assur angekündigt, um dann, auf dem Höhepunkt der Gefahr, die Vernichtung der Assyrer und Jerusalems Rettung zu verheißen, sondern umgekehrt: Er stellte seinen Landsleuten zuerst das Eingreifen Jahwes gegen das hybride Assur in Aussicht und kündete dann, als die Judäer darauf nicht vertrauen, sondern lieber zur politischen und militärischen Selbsthilfe greifen wollten, in Jahwes

[12] H. Wildberger, Jesaja I, 403.
[13] W. Dietrich, Jesaja, 112. Er nennt hier G. Hölscher, Profeten, 364 Anm. 1; G. Beer, Zukunftserwartung, 25 f. 35; W. A. Irwin, Attitude, 416 f.; S. H. Blank, Prophetic Faith, 14 f.; O. Kaiser, Jesaja II (1973), passim. Hinzuzufügen wäre noch K. Fullerton, Viewpoints, 44–70.
[14] Siehe dazu W. Dietrich, Jesaja, 115–196.

102

Namen vom Sieg der Assyrer über Juda und seine Alliierten. Dieser Wandel von der Heils- zur Unheilsprophetie hat sich zweimal, um 713 und um 705, ereignet."[15]

Ob sich nun ein solcher Umschwung bei Jesaja gleich zweimal ereignet hat und ob die erste Wende bereits um 713 erfolgt ist, das mag dahingestellt sein, sonderlich wahrscheinlich ist dies zumindest nicht. Gar nicht selbstverständlich ist auch die These, Jesaja habe zunächst Heil und erst danach Unheil angesagt. Nimmt man z. B. den Berufungsbericht Jesajas wirklich ernst (Jes 6) und berücksichtigt man auch noch das Weinberglied (Jes 5, 1–7), das nachgerade einhellig der Frühzeitverkündigung Jesajas zugeordnet wird, dann dürfte es mehr als fraglich sein, daß Jesaja in den Jahren 713 und 705 eine Wende von einer Heils- zu einer Unheilsprophetie vollzogen hat. Wenn überhaupt eine Wende vorliegt, dann ist doch viel eher mit der Mehrheit der Exegeten nach wie vor die umgekehrte Reihenfolge anzunehmen.

Wenn W. DIETRICH jenen Autoren eine Abfuhr erteilt, die für den Sekundärcharakter der antiassyrischen Jesajaprophetie eintreten, dann mag er vielleicht sogar mit einer gewissen Berechtigung konstatieren, daß hier nicht zwingende exegetische Beobachtungen den Ausschlag geben, sondern prinzipielle und inhaltliche Erwägungen.[16] Ein solcher Vorwurf trifft freilich nicht nur jene, die die antiassyrischen Worte ausscheiden, er trifft genauso auch jene, welche die Authentizität dieser Partien verteidigen.

Als Worte gegen Assur haben nach F. HUBER zu gelten: 10, 5–15; 14, 24–27; 30, 27–33; 31, 4–9.[17] W. DIETRICH[18], nennt zusätzlich noch 17, 12–14 und 29, 1–8. Berücksichtigt man jedoch, was oben bereits zu den Zionstexten bei Jesaja ausgeführt wurde,[19] dann ergibt sich, daß 14, 24–27; 17, 12–14; 29, 1–8; 30, 27–33 gar nicht jesajanisch sind. Ebenso ist auch 31, 8 f., die bei der hier anstehenden

[15] W. Dietrich, Jesaja, 113 f.

[16] Vgl. W. Dietrich, Jesaja, 112.

[17] F. Huber, Jahwe, 35 Anm. 2. Für nichtjesajanisch hält F. Huber Jes 17, 12–14; 33; 37, 22–29; 37, 30–35.

[18] W. Dietrich, Jesaja, 106 Anm. 25.

[19] Siehe dazu oben S. 40–97.

Frage entscheidende Partie, nichtjesajanisch. Dabei ist eigens anzumerken, daß die genannten Texte oben ohne die Berücksichtigung des Problems *Assurverkündigung Jesajas* ausgeschieden wurden. Da wurden stets andere Gründe geltend gemacht.

Wenn nun aber die antiassyrische Prophetie Jesajas nur einmal bezeugt ist (10, 5–15), dann ist doch allen Ernstes zu fragen, ob sie überhaupt jesajanisch ist. Denn sollte Jesaja im Verlauf seiner prophetischen Tätigkeit tatsächlich zur Erkenntnis gelangt sein, daß auch Assur sich das Gericht Jahwes zugezogen hat, dann dürfte man doch erwarten, daß er dieser seiner Meinung nicht nur einmal Ausdruck verliehen hat. Schließlich sagt er ja auch nicht nur einmal, Assur sei Vollstrecker des Gerichtes Jahwes an Juda/Jerusalem. Eine derartige Überlegung ist als solche zwar nicht zwingend, aber sie gibt zu denken.

Daß in der Frage nach Jesajas antiassyrischer Verkündigung alles von Jes 10 abhängt, wußte auch schon K. FULLERTON. "The case for the anti-Assyrian prophecies stands or falls with this chapter." [20] Für ihn bildeten die vv. 5–7a. 13 f. eine ursprüngliche Einheit. Der entscheidende v. 12 wird von ihm ausgeschieden. Was bleibt

"does not concern the *extent* of Assyria's conquests, but the *theory* upon which they were made. Assyria claims to make them in her own strength; Isaiah says, Assyria is only an instrument in the hand of Jahweh. . . . In spite of the coming destruction of the nation, he saw in Assyria only the instrument of Jahweh's righteous wrath" [21].

Die Bedeutung des Wehe-Rufs über Assur (v. 5) wird von ihm nicht erörtert. Dadurch und durch die Streichung von v. 12 ist 10, 5–15 hinsichtlich einer anti-assyrischen Tendenz Jesajas bar jeglicher Problematik. Der Text verbleibt im üblichen Rahmen jesajanischer Assurworte; Assur ist Werkzeug in der Hand Jahwes.

Nun können zwar H. BARTH und H. WILDBERGER feststellen, daß der Grundbestand von 10, 5–15 fast unbestritten für jesajanisch gehalten wird, [22] aber das gilt eben nur für den Grundbestand. Und

---

[20] K. Fullerton, Viewpoints, 48.

[21] K. Fullerton, Viewpoints, 49.

[22] H. Barth, Jesaja-Worte, 26; H. Wildberger, Jesaja I, 393. Eine Aus-

was ihm angehört, das ist umstritten. So scheidet z. B. B. DUHM die
vv. 10–12. 15 aus,[23] während K. MARTI nur die vv. 10. 12. 15 für
sekundär erklärt.[24] Auch O. PROCKSCH hält v. 10 und v. 12 für
sekundär.[25] Desgleichen sind auch für J. VERMEYLEN die Verse 12
und 15 sekundär.[26] Sind die vv. 10–12 für H. WILDBERGER „zweifellos ein Einschub"[27], und spricht auch noch G. FOHRER v. 10 und
v. 12 Jesaja ab,[28] dann muß man sich fragen, ob bei Jesaja selbst
wirklich eine antiassyrische Polemik nachweisbar ist. Daß er sich in
10, 5–15* distanziert über Assur ausläßt, ist sicher nicht zu bestreiten, besagt aber noch nicht, daß sich in ihm in der Einschätzung
Assurs ein tatsächlicher Wandel vollzogen hat, sondern nur, daß er
Assur in keiner Weise idealisiert. Daß Jahwe gar „gegen Assur einschreiten wird, sobald es über Juda herfällt, ist in der Rede 10, 5 ff.
nicht explizit ausgesprochen"[29]. Die von T. K. CHEYNE[30], O.
PROCKSCH[31] und neuerdings von F. HUBER[32] propagierte These,

nahme bilden lediglich G. Beer, Zukunftserwartung, 26 („Jes 10, 5–19 ist
gewiß eine Weissagung auf den Fall des historischen Assur, aber nicht des
Assur in den Tagen Jesajas, sondern um 100 Jahre später! Der Text ist ein Sei-
tengänger zu der Prophetie Nahums und Zephanjas 2, 13 ff. auf den Untergang Ninives. Die baldige Katastrophe wird als Strafe für den einstmaligen
Versuch Assurs, Jerusalem, die Gottesstadt zu erobern, und als Folge seines
grenzenlosen Hochmutes und seiner unersättlichen Ländergier gedeutet.");
G. Hölscher, Profeten, 363 f.; S. Mowinckel, Profeten Jesaja, 118–122. Auf
O. Kaiser, Jesaja I, wird noch eigens zurückzukommen sein.

[23] B. Duhm, Jesaia, 97–101.

[24] K. Marti, Jesaja, 104 f.

[25] O. Procksch, Jesaia, 166 f.

[26] J. Vermeylen, Isaie I, 255–259. Von den Erweiterungen in v. 10 f. sei
hier abgesehen.

[27] H. Wildberger, Jesaja I, 392.

[28] G. Fohrer, Jesaja I, 156 Anm. 89 und 90.

[29] W. Dietrich, Jesaja, 120.

[30] T. K. Cheyne, Einleitung 79 f.

[31] O. Procksch, Jesaja, 179. Er schließt allerdings 14, 24–27 nicht direkt
an 10, 5–15 an, sondern bezieht auch noch 10, 24–32 in die postulierte Einheit ein.

[32] F. Huber, Jahwe, 43–50.

14, 24–27 sei der Abschluß von 10, 5–15*, kann keine sonderliche Wahrscheinlichkeit für sich in Anspruch nehmen, da inhaltliche und formale Bedenken dagegen sprechen.[33] Will man den Grundbestand von 10, 5–15 für Jesaja retten, dann sollte man tunlichst auf eine ursprüngliche Verbindung mit 14, 24–27 verzichten, weil dieser Text kein authentischer Jesajatext ist.[34]

Nach den bisherigen Ausführungen ist es ziemlich unwahrscheinlich, daß Jesajas Assurverkündigung einen Bruch oder gar eine Wandlung aufweist. Lediglich das *Wehe* über Assur zu Beginn von 10, 5 könnte sehr verhalten darauf hinweisen. Aber nachdem 10, 5–15 sicher Überarbeitungen erfahren hat, muß man sich fragen, ob dieser Weheruf tatsächlich auf Jesaja zurückgeht, zumal die übliche einfache und kurze Form eines Weherufes hier beträchtlich erweitert ist.[35] Doch soll diese Eigentümlichkeit von 10, 5–15* hier nicht urgiert werden. Aber wenn man die Auflösung der Form und die bei Jesaja ansonsten nicht belegte Aussage berücksichtigt – er tadelt zwar die Hybris, aber nicht die Assurs –, dann gewinnen auch die redaktionsgeschichtlichen Überlegungen O. Kaisers an Gewicht, der 10, 5–15* Jesaja abspricht. Postuliert man insgesamt eine späte Komposition, dann mag es u. U. auch angehen, 14, 24–27 mit einzubeziehen.[36] Es bleibt dann allerdings nichts mehr, was eine Wende in Jesajas Assurprophetie auch nur andeuten könnte.

Auf Grund dieses Befundes wird man deshalb künftig darauf verzichten müssen, eine antiassyrische Prophetie Jesajas zu postulieren und theologisch auszuwerten. – Eher sollte man diesen Text und alles was mit ihm in Verbindung steht als eine späte Interpretation des Untergangs Assurs verstehen und als nachträgliche Erklärung dafür, warum Assur Jerusalem nicht erobern konnte.

---

[33] Siehe dazu H. Donner, Israel, 146, und W. Dietrich, Jesaja, 120.
[34] Siehe dazu oben S. 52–57.
[35] Siehe dazu H. Wildberger, Jesaja I, 392.
[36] Siehe dazu O. Kaiser, Jesaja I, 219–223.

V. UMKEHR

Wie ein roter Faden zieht sich durch die Arbeiten zu Jesaja von G. FOHRER die These, Jesaja habe sein Volk „vor das Entweder–Oder von Untergang durch das göttliche Strafgericht oder Rettung durch Umkehr vom falschen Wege zu Gott hin" gestellt.[1] „Für Jesaja geht es um die Entscheidung zwischen Umkehr und Widerspenstigkeit und damit zwischen Rettung und Gericht."[2] „So war Jesaja während seiner ganzen Tätigkeit ein Prophet der Umkehrforderung."[3] Aus der Gerichtssituation

„retten kann lediglich die völlige Wandlung des Menschen und das Tun des göttlichen Willens im täglichen Leben 1, 16 f., nur Gehorsam 1, 18–20 und die durch den Namen des Prophetensohnes gebotene Umkehr 7, 3. JHWH wird helfen, wenn die Jerusalemer an ihn »glauben« und ihm vertrauen 7, 9, still und vertrauensvoll auf ihn harren 30, 15 und demütig mit leiser Stimme wie derjenigen eines Totengeistes aus dem Staub flüstern 29, 4. Dann könnte sogar ganz Juda der »Rest« sein, der in den furchtbaren Kriegsstürmen übrigbleibt. In alledem ist Jesaja ein Prophet der Umkehrforderung"[4].

Nach H. W. HOFFMANN ist das zentrale Anliegen der Verkündigung Jesajas die Umkehr und Entscheidung für Jahwe.

„Unsere Überlegungen zu Worten, in denen Jesaja gegenüber seinen Hörern aus Juda–Jerusalem auf deren eigenes vorfindliches Handeln und dadurch geschaffene Verhältnisse eingeht . . . und die die Mehrzahl aller uns überlieferten Jesajaworte ausmachen, haben uns zu dem Ergebnis geführt, daß der Prophet mit größter Wahrscheinlichkeit in all diesen Worten mit Ausnahme von Jes 22, 1–14 und 29, 9 f. die Intention verfolgt hat, seine Hörer zur Umkehr zu ermahnen. – Die beiden letztgenannten Worte sind dem Jahre 701, genauer der Zeit nach dem Abzug der Truppen Sanheribs von Jerusalem, zu-

---

[1] G. Fohrer, Jesaja I, 16.
[2] G. Fohrer, Jesaja 1 als Zusammenfassung, 161.
[3] G. Fohrer, Geschichte, 258.
[4] G. Fohrer, Einleitung, 408 f.

zuweisen und zeugen nach unseren Erhebungen von einem einschneidenden Umbruch: Der Prophet mußte in jener Zeit erkennen, daß das Volk, das sich bisher dem Ruf zur Umkehr beharrlich widersetzt hat, nun endgültig die Chance vertan hat, durch Umkehr dem drohenden Vernichtungsgericht zu entgehen. Er mußte erfahren, daß Jahwe nun das Volk bei seiner Sünde behaftet, indem er es zur Umkehr unfähig macht und somit der Vernichtung preisgibt ... – Bis zu jenem Umbruch im Jahre 701 ist Jesaja treffend als »Prophet der Umkehrforderung« zu bezeichnen."[5]

Auch in seinen politischen Anweisungen verfolgt Jesaja nach H. W. HOFFMANN dieselbe grundsätzliche Intention: Umkehr und Entscheidung für Jahwe![6]

H. W. HOFFMANN ist sich seiner Sache so sicher, daß er auch noch im Weinberglied den Umkehrruf des Propheten hört.

„Der Intention nach zielt Jes 5, 1–7 m. E. somit deutlich auf Umkehr ab; sie muß gemäß v. 7b darin zum Ausdruck kommen, daß Rechtsspruch statt Rechtsbruch, Gerechtigkeit statt Schlechtigkeit herrschen."[7]

Er kann diese These wagen, weil er, wie schon E. K. DIETRICH[8], der Auffassung ist, daß die Unheilsankündigungen, indem sie die katastrophalen Konsequenzen einer verkehrten Haltung, eines falschen Tuns aufzeigen, die Intention haben, die Hörer von ihrer falschen Haltung abzubringen, zur Umkehr zu bewegen. „Sie sollen ihren derzeit eingeschlagenen Weg als Weg ins Verderben erkennen, so daß sie ihn verlassen, um jenem Unheil zu entgehen."[9]

---

[5] H. W. Hoffmann, Intention, 58 f.; S. 39 führt er die hierbei berücksichtigten Texte an. Zu den Einzelausführungen H. W. Hoffmanns wie auch zu den obigen Stellenverweisen G. Fohrers mag angemerkt sein, daß Jes 1 und 29, 1–8 in dieser Studie Jesaja abgesprochen werden. Siehe dazu oben S. 32–38. 63–73.

[6] Vgl. H. W. Hoffmann, Intention, 59–77.

[7] H. W. Hoffmann, Intention, 90. Anders u. a. G. Sauer, Umkehrforderung, 219 f.

[8] E. K. Dietrich, Umkehr, 111 ff.

[9] H. W. Hoffmann, Intention, 47 und passim. Auf seinen Versuch (ebd., 77–80), auch noch den Verstockungsauftrag Jes 6, 9–11 mit der Umkehrforderung in Einklang zu bringen, soll hier nicht eingegangen werden. Aus sei-

Ein solches Verständnis mag zunächst einiges für sich haben, zumal man die Propheten gern als Rufer zur Umkehr bestimmt. Andererseits kann H. WILDBERGER feststellen:

„Es ist oft beobachtet worden, daß Jesaja sonst nie direkt zur Umkehr mahnt, sondern nur feststellt, daß Israel nicht umgekehrt ist bzw. daß ihm durch Umkehr geholfen werden könnte, es aber nicht gewollt habe (30, 15)."[10]

Ob Israel, Juda oder Jerusalem auch noch während der Tätigkeit Jesajas eine tatsächliche Umkehrmöglichkeit hatten, muß vorerst dahingestellt bleiben. 30, 15 und 7, 1–9 könnten dafür sprechen. Nur ist bei 30, 15 die Bedeutung des nur einmal im Alten Testament belegten *šûbā* halt nicht absolut gesichert, es muß nicht mit *Umkehr*, es kann auch mit *Abkehr* oder *Ruhe* wiedergegeben werden.[11] Zudem macht der Schluß des Verses „Aber ihr habt nicht gewollt" deutlich,

„daß die Chance, durch Umkehr und Ruhe gerettet zu werden, für Israel längst versäumt ist. Der Hinweis auf das früher ergangene Angebot Jahwes soll deutlich machen, worin der Ungehorsam des Volkes besteht. Demnach hat die aufgezeigte Heilsmöglichkeit nur mehr irrealen Sinn: »In Umkehr und Ruhe hätte euer Heil gelegen . . .«. Die Funktion der indirekten Forderung besteht darin, als Schuldaufweis gegen Israel zu dienen"[12].

Auf 7, 1–9 wird im Zusammenhang der Verstockungsproblematik noch eigens zurückzukommen sein.[13] Auch 22, 12, wo implizit von einer Umkehrmöglichkeit die Rede sein könnte, ist kein eindeutiges

ner Schlußbemerkung (ebd., 80) wird deutlich, welches Dilemma sich hier auftut. „So ist biographisch Jes 6, 9–11 als situationsbedingte Grenzaussage zu begreifen, ohne daß Jesaja damit die innere Wahrhaftigkeit des durch ihn bis dahin ergangenen und später wieder ergehenden Rufs zur Umkehr bzw. zu Entscheidungen nach dem Willen Jahwes irgendwie in Frage stellen wollte."

[10] H. Wildberger, Jesaja III, 1239. Deshalb sieht er sich auch genötigt, 31, 6 Jesaja abzusprechen. Zum Thema Umkehr bei Jesaja siehe besonders G. Sauer, Umkehrforderung, 277–295.

[11] Siehe dazu G. Sauer, Umkehrforderung, 286 ff.; G. Fohrer, Jesaja II, 101 Anm. 117; B. Duhm, Jesaia, 221. O. Kaiser, Jesaja II, 233 f., bezweifelt die Authentizität des Textes.

[12] G. Warmuth, Mahnwort, 69.

[13] Siehe dazu unten S. 115–130, bes. 127 f.

Zeugnis. Denn nach K. MARTI [14] geht es da nicht mehr um ein buß-
fertiges Weinen, um doch noch gerettet zu werden, sondern um das
Anstimmen der Totenklage, da der Untergang bevorsteht und nicht
mehr aufzuhalten ist.

Nicht gerade selten versucht man, mit Hilfe des Namens Schear-
Jaschub (7, 3) eine reale Umkehrmöglichkeit bei Jesaja zu erweisen.
Zumindest meint man, hier wiederum die Ambivalenz jesajanischer
Verkündigung aufzeigen zu können. Zwar kehre nur ein Rest zurück oder bleibe im Gericht nur ein Rest übrig, aber dieser Rest bekehre sich auch, kehre um zu Jahwe. Jedoch nach dem, was oben bereits zur Restvorstellung Jesajas und zu diesem Namen ausgeführt
wurde, ist eine solche Annahme nicht möglich. Denn dieser Name
besagt nicht, daß ein Rest Judas/Jerusalems sich bekehrt, vielmehr
macht er deutlich, daß nur ein kümmerlicher, lebensunfähiger Rest
aus einer verlorenen Schlacht zurückkehrt. Dieser Name ist vor-
weggenommenes Gericht. [15]

Einen wirklichen Umkehrruf kann man bei Jesaja nur finden,
wenn man schon im voraus weiß, daß Jesaja zur Umkehr gerufen
hat. [16] Das bestätigt nicht zuletzt ein Blick in die Konkordanz. Zwar
kommt der Terminus *šûb* bereits in der Berufungsvision vor, 6, 10,
dort aber so, daß das Volk gerade nicht umkehren soll. Denn ob der
angehäuften Schuld gibt es keine Rettung mehr; das Volk ist zu einer
wirklichen Umkehr auch gar nicht mehr fähig.

Allein schon die Tatsache, daß Jesaja keinen zukunftsträchtigen
Rest in Aussicht stellt, verunmöglicht einen sinnvollen Umkehrruf.
Hat nicht einmal ein sich vielleicht bekehrender Rest eine reale
Überlebenschance, was soll dann noch eine Umkehrforderung? So
bleibt es beim Ergebnis von H. W. WOLFF: „Auch bei Jesaja ist der
Befund also eindeutig: Umkehr ist keine reale Möglichkeit für Israel;
sie gehört darum als Thema ausschließlich in die Gerichtsverkündi-
gung." [17]

[14] K. Marti, Jesaja, 173.
[15] Siehe dazu oben S. 28–31.
[16] Siehe dazu vor allem G. Sauer, Umkehrforderung, 277–295.
[17] H. W. Wolff, Umkehr, 139.

Schließlich ist auch noch das von G. WARMUTH erzielte Ergebnis zu berücksichtigen, der auf Grund der Untersuchung der Mahnworte Jesajas feststellen kann:

„Trotz unterschiedlicher Funktion der Mahnworte im einzelnen verwendet sie Jesaja nicht in der Absicht, zur Umkehr oder zur Entscheidung vor dem Hintergrund einer noch offenen Zukunft aufzurufen. Denn diese Zukunft ist bereits durch das kommende Gericht bestimmt. Vielmehr soll Jesaja Volk und König in ihrem Ungehorsam belassen, ja sie sogar auf Grund seines Auftrags in ihrer Verstockung bestärken (29, 9). Im übrigen dient ihm aber das Mahnwort in seiner Funktion als Schuldaufweis (28, 12; 30, 15; 1, 16 f.; 7, 4) vor allem dazu, die Gerichtsansage zu begründen und so dem Volk die Notwendigkeit kommenden Unheils deutlich vor Augen zu stellen. – Das Mahnwort wird demnach offenbar vom unheilankündigenden Zukunftswort bestimmt, denn stets ist die Ansage des Kommenden übergeordnet, und die Mahnung dient nur dazu, das Gericht herbeizuführen, es einsichtig zu machen und zu begründen. Weder Inhalt noch Funktion der Mahnworte erlauben es also, Jesaja als Mahner, Umkehrprediger oder Warner vor dem Gericht zu verstehen." [18]

[18] G. Warmuth, Mahnwort, 82 f.

VI. VERSTOCKUNG

Auch der Verstockungsauftrag, der in 6, 9–11 an Jesaja ergeht, zeigt noch einmal, wie verschiedenartig jesajanische Texte interpretiert werden, obwohl hier ausnahmsweise die Authentizität kaum bestritten ist.[1] Bei der Frage nach der Verstockung geht es freilich nicht nur um die Terminologie und das Verständnis dieser paar Verse, vielmehr rückt die gesamte Verkündigung des Propheten ins Blickfeld. Denn hat Jesaja tatsächlich nur Verstockung bewirkt? Räumt er z. B. in 7, 1–9 Ahas und damit der Dynastie nicht doch eine reelle Chance ein? Kennt er nicht wenigstens bedingte Heilszusagen? Hat das von Jahwe erwählte Volk bei Jesaja über die verspielte Vergangenheit und Gegenwart hinaus nicht doch noch eine Zukunft? Wird Jahwe am Ende sein Volk nicht doch noch retten, in Jerusalem einen neuen Grundstein legen? Gibt es nicht doch eine wirkliche Kontinuität zwischen Unheil und Heil, die in Gott selbst besteht?[2] Ist in dem einen Handeln Gottes bei Jesaja das Wort von der Verstockung nur das erste, aber noch nicht das letzte?[3] So wie Jesaja weithin verstanden wird, scheint die in 1–39 belegte Verkündigung zumindest nicht immer und ausschließlich Vollzug des Verstockungsauftrages gewesen zu sein.[4]

Auf die Diskrepanz zwischen der Aussage von 6, 9 ff. und der übrigen prophetischen Botschaft hat mit großer Deutlichkeit bereits F. Hesse hingewiesen. „So, wie Jesajas Verkündigung tatsächlich aussieht, ist sie nicht zu verstehen, wenn man Kap. 6, 9 f. wörtlich nimmt."[5] Daraus ergibt sich unschwer, daß man den Verstockungs-

---

[1] Zu O. Kaisers These siehe unten S. 124 f.
[2] Vgl. dazu W. H. Schmidt, Einheit, 272.
[3] So G. von Rad, Theologie II, 162.
[4] Zum folgenden vgl. R. Kilian, Verstockungsauftrag, 209–225.
[5] F. Hesse, Verstockungsproblem, 84.

auftrag anders interpretieren muß. Wie dies geschehen soll bzw. überhaupt nur kann, zeigt er denn auch auf.

„So bleibt m. E. nur der Ausweg, daß man sich von der Ansicht löst, daß der Prophet schon am Anfang seiner Tätigkeit einen ausdrücklichen Verstokkungsauftrag bekommen habe. Vielmehr ist Jesaja von einer langen Erfahrung aus erst nachträglich dazu gekommen, das in der Berufungsvision Erlebte, insbesondere den an ihn ergangenen Auftrag – dessen ursprüngliche Gestalt wir nicht mehr ermitteln können – *a posteriori* in dem Sinne zu verstehen, daß Jahwe ihm befohlen habe, verstockend auf das Volk zu wirken."[6]
„Eine Erkenntnis, die ihm erst allmählich kam, hat Jesaja als ihm schon in der Berufungsaudition durch ein göttliches Wort geworden dargestellt. Das ist schon darum verständlich, weil Jesaja ganz und gar in seinem Auftrag, Jahwes Mund zu sein, aufging; was ihm selbst erst allmählich klar wurde, stand bei Gott von Anfang an fest, und so war es kein weiter Schritt dazu, diesen Jahwe-Ratschluß in die Form eines ihm vor allem Anfang gewordenen Auftrages umzugießen."[7]

Für die von F. Hesse vertretene These, auch Rückprojizierungsthese genannt, spricht einmal, daß sie der vorliegenden Problematik gerecht zu werden scheint und deshalb einleuchtend ist, zum anderen, daß sie den Verstockungsauftrag als solchen nicht einfachhin relativiert, sondern ihn in seiner Totalität ernst nimmt. Deshalb hat sie auch weithin Zustimmung gefunden. Zweitrangig ist dabei die Frage, ob man die hier skizzierte Rückprojizierung mit der erfolglosen und enttäuschenden Tätigkeit Jesajas im syrisch-efraimitischen Krieg in Zusammenhang bringt oder sie erst gegen Ende seiner prophetischen Wirksamkeit postuliert. Für die erste Möglichkeit entscheiden sich u. a. H. D. Preuß[8], H. Wildberger[9], W. Zim-

---

[6] F. Hesse, Verstockungsproblem, 84, fügt in Anm. 2 noch hinzu: „Diese Deutung scheint mir der einzig mögliche Ausweg aus einer sonst unlöslichen Aporie und von einem »billigen Psychologisierungsversuch« weit entfernt, wie K. Elliger, Prophet und Politik, S. 9 Anm. 1, eine solche Exegese abwertet" (K. Elliger, Prophet und Politik, ZAW 1953, 9 = ders., Kleine Schriften, 126).

[7] F. Hesse, Verstockungsproblem, 84. Zu Vorläufern von F. Hesse und zu deren Kontrahenten siehe ebd., 85 f. Anm. 3.

[8] H. D. Preuß, Jahweglaube, 184.

[9] H. Wildberger, Jesaja I, 241 f.

MERLI [10], O. H. STECK [11] und G. FOHRER, der die Stellung des Berufungsberichtes vor Kap. 7–8 damit erklärt, daß Jesaja seinen damaligen Mißerfolg aus seinem Auftrag 6, 9 ff. heraus deutlicher mache.

„Dabei ist es wahrscheinlich, daß er den endgültigen Wortlaut des Auftrags erst auf Grund der Erfahrungen niedergelegt hat, die er in den beiden ersten Zeiträumen seiner Tätigkeit machen mußte; denn tatsächlich hat er zunächst weder völlige Vernichtung angedroht noch mit einer Verstockung von König und Volk gerechnet (vgl. 1, 10–17. 18–20; 7, 1–9. 10–17). Es entspräche alter israelitischer Denkweise, wenn er die niederschmetternden Erfahrungen mehrerer Jahre in einem Zeitpunkt zusammengerafft und durch die Verbindung mit dem Berufungsbericht als von Gott gewollt bezeichnet hätte." [12]

Mit der Rückprojizierung erst am Ende der Tätigkeit Jesajas rechnet außer F. HESSE u. a. auch W. DIETRICH, der seine Position ausführlich begründet. Zwar lehnt er zu Recht eine biographisch-psychologische Argumentation ab, wonach es für Jesaja eine unzumutbare Lebensaufgabe gewesen wäre, sein eigenes Volk in den Untergang zu treiben, denn das hätte den Propheten in unerträglicher Weise überfordert. Doch meint er, die Sprache und Aussage des Verstockungsauftrages würden darauf hinweisen, daß 6, 9–11 erst am Ende der Wirksamkeit Jesajas abgefaßt sei.

„Die Schlüsselbegriffe des Verstockungsbefehls sind die Verben $šm^c$ ‚hören', r^2h ‚sehen', $bîn$ ‚verstehen' und yd^c ‚wissen'. Das sind eben die Begriffe, mit denen Jesaja immer wieder die Haltung der Judäer beschrieben hat, die gegen Jahwes erklärten Willen eine gegen Assur gerichtete Politik der Stärke betrieben, die nicht hören und nicht erkennen wollten, daß Jahwe diese Eigenmächtigkeit nicht dulden und darum sein Volk den Assyrern ausliefern werde." [13]

Eine solche Argumentation kann freilich nicht überzeugen, da die spätere Verkündigung genauso gut die Entfaltung des Verstockungsauftrages sein kann. Sonst müßte u. U. auch das Huhn vor dem Ei, aus dem es schlüpfte, gewesen sein.

[10] W. Zimmerli, Grundriß, 170.
[11] O. H. Steck, Bemerkungen, 188–206.
[12] G. Fohrer, Jesaja I, 94.
[13] W. Dietrich, Jesaja, 177.

Ähnliches gilt auch für die Ausführungen W. Dietrichs zum Inhalt. Die Konkretheit und Plastizität der politischen Verkündigung Jesajas im Jahr 701 erweist noch lange nicht, daß diese die Voraussetzung für 6, 9 ff. ist. Im übrigen ist es ein textlich nicht belegbares Postulat, Jesaja habe bis in seine Spätzeit hinein dauernd zur Umkehr gerufen.[14] Zudem kann der Verstockungsauftrag nicht nur auf Politisches beschränkt werden. Um die These der Spätdatierung von 6, 9 f. vertreten zu können, sieht sich W. Dietrich noch zu einem weiteren Postulat genötigt. Da „die Verse 1–8 (und übrigens auch 11–13) nicht den geringsten Anhaltspunkt für eine Spätdatierung bieten, man also schwerlich den gesamten Bericht in die Zeit kurz vor 701 datieren kann, läuft alles auf das Postulat eines ursprünglichen Berufungsberichtes zu, in dem V. 9 f. noch nicht enthalten war; für eine solche »ältere Fassung« aber liegen, wie O. H. Steck meint, »form- und überlieferungsgeschichtlich keinerlei Anzeichen« vor"[15]. Doch meistert W. Dietrich auch diese Schwierigkeit, indem er eine Textumstellung vornimmt und auf v. 9a sofort v. 12 und dann v. 13abα und v. 11 folgen läßt. So besteht der ursprüngliche Berufungsbericht aus den vv. 1–8. 9a. 12. 13bα. 11. Den Verstockungsbefehl, v. 9bf., hätte Jesaja erst gegen Ende seiner Tätigkeit formuliert und in den Berufungsbericht eingesetzt.[16]

Die Argumentation für die Rückprojizierungsthese basiert üblicherweise auf den Inhalten der Verkündigung Jesajas, da gerade sie kein wörtliches Verständnis von 6, 9 f. zulassen sollen, es sei denn, man trennt das Berufungsgeschehen zeitlich von der Verstockungsbeauftragung. Eine andere Argumentationsweise – wohl auch eine objektivere, weil die Interpretation von Inhalten schon ein bestimmtes und nicht immer gerechtfertigtes Vorverständnis voraussetzt – versucht O. H. Steck in seiner gattungsgeschichtlich orientierten Untersuchung von Jes 6.[17] Zumeist wird Jes 6 als Berufungsbericht

---

[14] Solches postuliert W. Dietrich, Jesaja, 177.

[15] W. Dietrich, Jesaja, 178, mit Verweis auf O. H. Steck, Bemerkungen, 203.

[16] Vgl. W. Dietrich, Jesaja, 178 f.

[17] O. H. Steck, Bemerkungen, 188–206.

bestimmt,[18] wobei dann freilich immer noch zu fragen ist, wann dieser Bericht abgefaßt und wann er u. U. überarbeitet wurde, und ob 6, 9 f. nicht vielleicht doch als spätere Erweiterung zu bestimmen ist. Nach O. H. STECK ist jedoch Jes 6 „weder der Gattung nach noch der Absicht nach der Berufungsbericht Jesajas"[19].

„Is 6 ist vielmehr anhand einer völlig anderen Gattung gestaltet, die ich die Gattung der »Vergabe eines außergewöhnlichen Auftrags in der himmlischen Thronversammlung« nennen möchte."[20]

„Jesaja greift diese Gattung mit ihren Aufbaugliedern: Thronszene mit Beschlüssen – Suche eines Abgesandten – Bereitschaftserklärung eines Teilnehmers der Szene – Vergabe des Auftrags an ihn – auf und erweitert sie in V. 5–7 und V. 11 um die Wiedergabe von Vorgängen, die damit zusammenhängen, daß sein außergewöhnlicher Auftrag mit Verstockung und Vernichtung des eigenen Volkes verbunden ist."[21]

Wesentlich ist dabei, daß diese Jes 6 prägende Gattung auch die Ausführung des erteilten Auftrages wiedergibt, woraus sich ergibt, daß in Jes 6 gar keine selbständige Gattung vorliegt; „das Schwergewicht der Is 6 prägenden Gattung liegt ausschließlich in der Exposition des zur Ausführung anstehenden Auftrags".[22] So kann dann O. H. STECK schließlich zu dem Ergebnis gelangen, daß Jes 6,

„schon formgeschichtlich anscheinend mittels einer unselbständigen Gattung gestaltet, in eine vom Propheten selbst geschaffene literarische Größe gehört, die sogenannte Denkschrift aus dem syrisch-efraimitischen Krieg . . ."[23].

Demnach ist Jes 6 von vornherein auf eine Fortsetzung des Berichts, auf eine Weiterführung in Kap. 7 f. angelegt und erst um 733 im Zu-

---

[18] So z. B. von G. Fohrer, Jesaja I, 94; E. Jenni, Jesajas Berufung, 321; W. Zimmerli, Ezechiel I, 17–21; R. Kilian, Berufungsberichte, 363; W. Richter, Berufungsberichte, 174. Siehe dazu auch besonders das ausgewogene Urteil von O. Kaiser, Jesaja I, 123 ff.

[19] O. H. Steck, Bemerkungen, 204.

[20] O. H. Steck, Bemerkungen, 191.

[21] O. H. Steck, Bemerkungen, 193.

[22] O. H. Steck, Bemerkungen, 193 f.

[23] O. H. Steck, Bemerkungen, 199.

sammenhang der Abfassung der Denkschrift und für die Denkschrift von Jesaja schriftlich fixiert worden.[24] Hier bekennt sich
O. H. STECK auch ausdrücklich zur Rückprojizierungsthese von
6, 9f.

Es soll in diesem Zusammenhang, in dem es um die Möglichkeit
oder Unmöglichkeit eines Verstockungsauftrags an Jesaja von allem
Anfang an und nicht so sehr um die Gattung von Jes 6 geht, nicht erörtert werden, ob und warum Jes 6 ein Berufungsbericht oder ein
besonderer Sendungsbericht ist.[25] Denn von entscheidender Bedeutung ist hier nicht die Gattung als solche, sondern daß O. H. STECK
diese Gattung von Jes 6 über dieses Kapitel bis zu 8, 18 hinausgreifen
und Jes 6 von vornherein für die Denkschrift verfaßt sein läßt. Mit
dieser Behauptung hat er nicht nur die Ebene des Beweisbaren, sondern auch die des Wahrscheinlichen verlassen, weil die Denkschrift
nun einmal keine ursprünglich gattungsmäßige, sondern nur eine
redaktionelle Einheit ist. Dafür genüge allein der Hinweis, daß in
Jes 6 ein Ich-Bericht vorliegt und in Jes 7 ein Er-Bericht. Sollte
6, 1–8, 18 eine ursprünglich literarische, gar gattungsgeschichtliche
Einheit sein, dann ist dieser Wechsel nicht erklärbar. Denn es ist
nicht einzusehen, warum ein für Jes 7 zu postulierender Ich-Bericht,
so Jes 6 ff. eine gattungsmäßige Einheit sein soll, später in einen nun
vorliegenden Er-Bericht umgestaltet worden sein soll, wenn sich ein
Ich-Bericht der Denkschrift weitaus besser eingefügt hätte. Die Basis einer lediglich redaktionsgeschichtlichen Größe trägt nun einmal
nicht die weitreichenden Folgerungen O. H. STECKS.[26] Die Untersuchung O. H. STECKS erweckt zudem den Verdacht, daß nicht die
Struktur von Jes 6 Anlaß zu einer neuen Gattungsbestimmung war,
sondern ganz allein die Aussage des Verstockungsauftrags. Denn

[24] Vgl. O. H. Steck, Bemerkungen, 203.
[25] Zur Frage der Berufungsberichte siehe R. Kilian, Berufungsberichte;
W. Richter, Berufungsberichte, und die bei O. H. Steck, Bemerkungen,
189–194, angegebene Literatur.
[26] Siehe dazu auch die Auseinandersetzung J. M. Schmidts, Verstokkungsauftrag, 79–81, mit E. Jenni, Jesajas Berufung, und H. Wildberger,
Jesaja I, 254–257. J. M. Schmidt tritt entschieden für die grundsätzliche Unterscheidung zwischen Rahmen- und Gliedgattung ein.

wären v. 9 und v. 10 positiv gefaßt, etwa in diesem Sinne: 'Geh und sprich zu diesem Volk: Hört, hört, auf daß ihr versteht! Seht, seht, auf daß ihr erkennt! – Sprich diesem Volk zu Herzen, tu auf seine Ohren, öffne seine Augen, auf daß es sieht, hört und zur Einsicht kommt, Umkehr und Heilung findet!', so würde wohl niemand an der Gattungsbestimmung *Berufungsbericht* Anstoß nehmen. Und es würde auch niemand fragen, auf welche spezifische Situation der Verkündigung Jesajas dieser Text einzuengen sei. Man würde darin eine allgemeine Umschreibung der prophetischen Beauftragung erblicken, vergleichbar den entsprechenden Aussagen in Jer 1 und Ez 1, 1–3, 15, denen auch noch die konkreten Einzelanweisungen abgehen. Jes 6, 9f. würde auch dann kaum Anstoß erregen, würden diese beiden Verse eine Alternative aufweisen: 'Wenn ihr einsichtig werdet, dann erfahrt ihr Heil, wenn nicht, dann Unheil!' Aber nun sind diese Verse einmal rein negativer Art. Und solches kann und darf offensichtlich in einem Berufungsbericht Jesajas nicht möglich sein, weil die in

„Is 7 und 8 berichteten Zuwendungen Jahwes in Jesajas Verkündigung zur Zeit des syrisch-efraimitischen Krieges für sich genommen zur Stunde ihres Ergehens zweifelsohne echte, auf Rettung zielende Angebote waren, die Jesaja seinerzeit wohl kaum schon im Wissen oder gar in Ausführung eines ihm auferlegten Verstockungsauftrags vermittelt hat"[27].

Mit dieser sachlichen Feststellung, die nur als ergänzende Bestätigung für die Richtigkeit seiner sonstigen Ausführungen angefügt ist, hat O. H. STECK den eigentlichen Ausgangspunkt seiner Überlegungen offengelegt. Auch für ihn ist ein absoluter Verstockungsauftrag Jesajas von allem Anfang an nicht vereinbar mit der tatsächlichen Verkündigung des Propheten, soweit sie uns bekannt ist.

Ist man so aber doch wieder bei der Sache Verstockung angelangt, dann darf auch die Frage von v. 11 nicht übersehen werden. Denn wenn der Verstockungsauftrag erst retrospektiv als Rückprojizierung in den Berufungsbericht Eingang gefunden hat oder wenn gar der ganze Berufungsbericht erst unter diesem Aspekt niedergeschrieben wurde, dann ist auch nach dem Sinn von „Herr, wie

[27] O. H. Steck, Bemerkungen, 203.

lange?" in v. 11 zu fragen. Was soll diese Frage als Reaktion auf den Verstockungsauftrag, wenn Jesaja bereits auf Grund seiner Mißerfolge erfahren und dann in deren Reflexion erkannt hat, daß es sein Geschick war oder ist, verkündigend Verstockung und damit absolutes Gericht zu vollziehen? Diese Erkenntnis, zumal wenn sie erst spät angesetzt wird, läßt die Frage von v. 11 als unangebracht erscheinen, es sei denn, man nehme an, Jesaja spiele hier ein ungutes Spiel, indem er sich oder seinen Hörern bzw. Lesern etwas vormacht. Andererseits ist diese Frage verständlich und berechtigt, wenn ihm der Verstockungsauftrag gleich zu Beginn seiner Tätigkeit zugewiesen wurde. Denn dann bezeugt diese Frage seinen Glauben – den herkömmlichen Glauben: Gott greift zwar strafend und richtend in die Geschichte seines Volkes ein,[28] aber dieses Gericht ist begrenzt und hat nicht die völlige Vernichtung zum Ziel. Deshalb kann er nach der zeitlichen Begrenzung seines Auftrags fragen.

G. FOHRER hat die Bedeutsamkeit dieser Frage sehr wohl erkannt und ordnet sie auch dem Berufungserlebnis zu, bringt sie dann aber doch auch wieder durch die Abfassungszeit des Berufungsberichtes mit den Erfahrungen Jesajas im syrisch-efraimitischen Krieg in Zusammenhang.[29] Die entscheidende Frage, ob nun der Verstockungsauftrag tatsächlich an den Anfang jesajanischer Tätigkeit gehört oder nicht, unabhängig davon, wann der Bericht genau formuliert wurde, ist so wieder einmal mehr umgangen. Die Frage von v. 11 bezieht sich auf den Verstockungsauftrag und wird dem Berufungserlebnis zugeordnet, andererseits stellt „die Androhung der Vernichtung des ganzen Volkes sicherlich eine spätere Formulierung Jesajas" dar.[30] So scheint es auch mit Hilfe der Frage von v. 11 nicht möglich zu sein, die Rückprojizierungsthese zu widerlegen. Doch mögen diese Überlegungen zu v. 11 wenigstens Anlaß sein, eine andere Lösung des Verstockungsproblems zu versuchen.

Allerdings sollte man für eine andere mögliche Lösung nicht mit

---

[28] Jesaja erfährt in der Tat im Geschehen von Jes 6 den zum Gericht erscheinenden Herrn. Siehe dazu vor allem R. Knierim, Vocation, 47–68.
[29] Siehe dazu G. Fohrer, Wandlungen, 61 ff.
[30] G. Fohrer, Wandlungen, 62.

dem Postulat argumentieren, Jesaja habe zwar den Verstockungsauftrag von allem Anfang an gekannt, er habe jedoch immer wieder
versucht, diesem Zwang zu entfliehen und selbst nach einem Ausweg aus der verfahrenen Situation gesucht. Deshalb habe er auch zur
Umkehr aufgerufen und auch bedingtes Heil verkündet. Ein solches
Unterfangen entbehrt der entsprechenden Textbasis. Ebensowenig
können die Ausführungen M. Bubers überzeugen, der fragt:

„Was also kann zugleich wahre Verkündigung und so geartet sein, daß es die
Ohren der Menge beschwert und ihre Augen verklebt? Es kann nichts anderes als eine große Heilsbotschaft sein, ein so neuer, starker, heller Heilston,
daß er für die vielen, die nur nach Sicherung des Volksbestandes, nach Be-
schwichtigung der Unruhe ihrer Seele, nach Bestätigung ihrer Illusionen ver-
langen, alle Ansage des Unheils übertönt."[31]

J. M. Schmidt schwankt, ob er Jes 6 mit seinem Verstockungsauftrag direkt mit der Berufung Jesajas in Zusammenhang bringen
oder ob er hierin eine spezielle Auftragsvision erblicken soll, die erst
später erfolgt ist. Aber er hält es immerhin für miteinander vereinbar,

„daß einerseits Jahwe dem Propheten in seiner Berufung die verstockende
Wirkung seiner Verkündigung aufgetragen hat und daß andererseits Jesaja
sich erst auf Grund seiner Tätigkeit über jenen Auftrag und seine Zusam-
menhänge wirklich klar geworden ist. Möglicherweise mußte er von dem
Sinn und der Notwendigkeit seiner Aufgabe sogar erst überzeugt werden.
Solches Sich-klar-werden . . . hat ihn, wie ich weiter vermute, zu einer neuen
sprachlichen und zwar dann öffentlichen Äußerung seiner Berufung und
seines Auftrags bewogen"[32].

Auf jeden Fall setzen nach J. M. Schmidt die Formulierungen und
die Veröffentlichung des Verstockungsauftrags eine vorjesajanische
Prophetie und eine vorausliegende prophetische Tätigkeit Jesajas
voraus, die auf Umkehr und Heilung des Volkes ausgerichtet waren,
die aber jetzt ausgeschlossen werden.[33]

---

[31] M. Buber, Glaube, 188 f. Zur kritischen Auseinandersetzung mit
M. Buber siehe J. M. Schmidt, Verstockungsauftrag, 70–73.
[32] J. M. Schmidt, Verstockungsauftrag, 74 f.
[33] Vgl. dazu J. M. Schmidt, Verstockungsauftrag, 75–77. Siehe dazu aber
auch Ch. Hardmeier, Verkündigungsabsicht, 247 Anm. 53.

„Die bisherige prophetische Tätigkeit und die dabei gesammelten Erfahrungen haben Jesaja von der Unabwendbarkeit des Gerichts und der Erfolglosigkeit seines Wirkens überzeugt. Nachdem er also praktisch bereits den Verstockungsauftrag erfüllt hatte, wird er nunmehr den direkten, kausalen Zusammenhang zwischen seiner Wirksamkeit, der Verstockung und dem unabwendbaren Gericht klar erkannt haben, sei es im Rückblick auf seine Berufungsvision, sei es im unmittelbaren Zusammenhang mit der erst dann erfahrenen Vision, von der Is. VI berichtet. Daraufhin wird er schließlich sein Berufungs- und/oder Visionserlebnis auch der Öffentlichkeit mitgeteilt und dabei insbesondere seinen Verstockungs*auftrag* betont haben." [34]

Daß die Verkündigung Jesajas zunächst auf Besserung der Angesprochenen und Beseitigung der Mißstände ausgerichtet war, sieht J. M. SCHMIDT durch Jes 1, 10–17. 18–20 bestätigt. Deshalb decke der »Berufungs«bericht keineswegs die ganze Frühzeitverkündigung Jesajas ab. [35]

„Aus jenem Befund leite ich die Bestätigung meiner Annahme ab, daß Jesaja zu den in Kap. VI ausgesprochenen Erwartungen erst im Lauf seiner Frühzeitverkündigung und zwar wohl erst an ihrem Ende gekommen sei." [36]

Zusammenfassend kann er dann feststellen:

„De facto hatte Jesaja bereits seit Beginn seines Auftretens Verstockung gewirkt und somit jenen Auftrag erfüllt. Am wirkungsvollsten und vor allem im klaren Bewußtsein hat er ihn jedoch erst dadurch erfüllt, daß er ihn vermutlich am Ende seiner Frühzeitverkündigung öffentlich ausgesprochen hat . . ." [37]

Indem J. M. SCHMIDT einerseits mit tatsächlicher Verstockung von allem Anfang an rechnet, andererseits aber Jesaja erst nach und nach zur vollen Einsicht gelangen läßt, versucht er einen gewissen Mittelweg zu gehen. Das führt aber dazu, daß er für die Frühzeit Jesajas sowohl Verstockung als auch Umkehrpredigt mit offensicht-

[34] J. M. Schmidt, Verstockungsauftrag, 78.
[35] Vgl. J. M. Schmidt, Verstockungsauftrag, 86 f. Auch hier ist nochmals anzumerken, daß oben S. 32–38 das ganze Kap. 1 Jesaja abgesprochen wird.
[36] J. M. Schmidt, Verstockungsauftrag, 87.
[37] J. M. Schmidt, Verstockungsauftrag, 89.

lich realer Umkehrmöglichkeit postulieren muß. Und das bereitet dann doch gewisse Schwierigkeiten.

Vertritt J. M. Schmidt die Ansicht, Jes 6, 9 f. habe als öffentliche Mitteilung seines Verstockungsauftrags zu gelten,[38] so meint Ch. Hardmeier, Jes 6 sei in erster Linie an die Anhänger Jesajas als primäre Adressaten gerichtet und sei kein Text öffentlicher Verkündigung,

„als Reflexion über die Verkündigung und ihre Wirkung kann dieses Thema von Jesaja nur vor seinen Anhängern ausgebreitet werden, weil er nur bei diesem Adressatenkreis mit einer Bereitschaft zum Verstehen und Mitdenken rechnen kann"[39].

Darüber hinaus bringt Ch. Hardmeier insofern einen neuen Aspekt in die Diskussion ein, als er sorgfältig zwischen Jesajas Verkündigungsabsicht und Jahwes Verstockungsauftrag und zwischen der Intention Jesajas einerseits und der Wirkung seiner Verkündigung andererseits unterscheidet. Nach ihm wollte Jesaja durchaus das Volk zur Schuldeinsicht bringen, um ihm so den Weg zur Vergebung zu öffnen.[40] Es wäre ein Mißverständnis, 6, 9 f. dahingehend zu interpretieren, daß Jesaja „selbst mit seiner Verkündigung aktiv »Verstockung« betrieben hat, selber betreiben wollte oder gar von Jahwe aus sollte"[41]. Daß seine Predigt trotzdem verstockend *gewirkt* hat, hängt mit deren Rezeption durch die Hörer zusammen.

„Entscheidend ist dabei allgemein, daß die Wirkung einer Äußerung beim Adressaten nicht nur von seiner aktiven Hör- und Verstehensfähigkeit abhängt . . ., sondern vor allem auch von seiner Bereitschaft, für das Gesagte auch einzutreten, es für sich zu akzeptieren und daraus Konsequenzen zu ziehen. Genau dieses letztere aber ist in Jes 7 und 8 nicht der Fall. Das von Jesaja Verkündigte wurde nicht akzeptiert, ohne daß Jesaja auf diese ablehnende Rezeption hätte Einfluß nehmen können, auch wenn er sie durch seine Rede zwangsläufig ausgelöst hat. . . . Ein Ursache-Wirkung-Verhältnis besteht höchstens insofern, als sich die Ablehnung und das Unverständnis die-

---

[38] J. M. Schmidt, Verstockungsauftrag, 75. 79. 83. 85. 88 f.
[39] Ch. Hardmeier, Verkündigungsabsicht, 246. 238.
[40] Vgl. Ch. Hardmeier, Verkündigungsabsicht, 242. 247. 249 f.
[41] Ch. Hardmeier, Verkündigungsabsicht, 240.

ses Volkes um so mehr vertieft, je mehr Jesaja das Wort ergreift, so daß er auf diese Weise unfreiwillig Jahwes Auftrag aktiv erfüllt, auch wenn der Auftrag von v. 10a auf keinen Fall besagt, Jesaja soll die Verstockung zur Intention seiner Wirksamkeit machen. Weil aber auch hier wie in v. 9a faktisch nur von der Wirkung seiner Verkündigung die Rede ist, wird die Intention nicht berührt, die Jesaja selbst mit seinem prophetischen Wirken verbunden haben könnte."[42]

Der Verstockungsauftrag von v. 9f. muß als fiktiver Auftrag verstanden werden, da es sich nicht um einen konkreten Redeauftrag handelt; es wird darin nur zum Ausdruck gebracht,

„wie *Jesaja* seine Verkündigungstätigkeit zu verstehen habe: »Gehe nur zu diesem Volk und rede unentwegt zu ihm, aber sie sollen nichts verstehen!« Jahwe sagt ihm in der Gestalt eines fiktiven Redeauftrags, daß sein Reden bei »diesem Volk« ohne Wirkung bleiben soll"[43].

„Die Fiktivität des Auftrags bezieht sich nach den angestellten Überlegungen nur darauf, daß weder die in v. 9b aufgetragene Rede wörtlich so verkündigt noch der in 10a ergangene Auftrag zur Verstockung mit der anzuzielenden Wirkung (10b) von Jesaja intendierbar verwirklicht werden kann. Daß hier die faktische Auswirkung von Jesajas Verkündigung fiktiv als aufgetragenes Handlungsziel ausgesagt wird, berührt jedoch nicht den Realgehalt des Auftrags, daß Jesaja weiterhin verkündigend tätig bleiben soll, nur eben nicht mit der von ihm beabsichtigten Wirkung."[44]

Resümierend kann er schließlich feststellen:

„So hängt die Unausweichlichkeit des Gerichts weder an Gottes undurchschaubar unabänderlichem Willen, noch soll dieses Gericht durch die Verkündigung Jesajas befördert oder gar vollzogen werden, sondern es ist die trotz prophetischem Bemühen mit keinem Mittel aufhebbare Einsichtslosigkeit »dieses Volkes« in sein gemeinschaftszerstörerisches Fehlverhalten, mit dem die Schuldigen unausweichlich Jahwes Gericht auf sich ziehen. Deshalb ist Jahwes Gericht weder Erziehungsmittel noch jemals sein primärer unerklärlicher Wille; vielmehr ist es Jahwes leidvolle, mit allen Mitteln prophetischer Aufklärung zu verhindernde ultima ratio, als solche dann aber auch un-

[42] Ch. Hardmeier, Verkündigungsabsicht, 245f.
[43] Ch. Hardmeier, Verkündigungsabsicht, 244.
[44] Ch. Hardmeier, Verkündigungsabsicht, 249.

erbittliche, ernste und wohlbegründete Konsequenz, wenn Menschen sich in ihrer Schuld und in ihrem politisch-sozialen Fehlverhalten so selbst gefangen haben, daß sie nicht einmal mehr trotz Aufklärung zur Einsicht ihrer Schuld, geschweige denn zur Umkehr fähig sind."[45]

Mag auch manches in Ch. HARDMEIERS Ausführungen ansprechend und überzeugend sein, so bleibt doch zu fragen, ob er dem Verstockungsauftrag gerecht wird, der sich als solcher eben nur bei Jesaja findet und dessen Predigt nicht nur als Gerichtspredigt erscheinen läßt, sondern auch als Vollzug des Verstockungsauftrages.

Eine ganz andere Lösung des Verstockungsproblems trägt O. KAISER vor. Er ist sich wohl bewußt, daß die Rückprojizierungsthese problematisch ist, so stellt er die Frage: „Aber ist es glaubhaft, daß ein Mann selbst seinen Auftrag vom Ende her in der Weise interpretiert, daß er seine nachträgliche Einsicht als das Gotteswort der ersten Stunde ausgibt?"[46] Für seine eigene Position geht er davon aus, daß Jes 6 nicht auf sich selbst steht, sondern als Einleitung für Kap. 7 und 8 verfaßt wurde.[47] So versteht er dann auch die Beauftragung Jesajas ganz im Sinne der Denkschrift, die er freilich erst nach der Katastrophe von 587 entstanden sein läßt. Der Selbstbericht von Jes 6 dient nach ihm einer fiktiven Rückversetzung in die Zeit Jesajas,

„um im Spiegel seines Dienstes das Vor, ausseins Jahwes auch vor der in dem vollständigen Zusammenbruch des Gottesvolkes endenden Unheilsgeschichte aufzuzeigen und mithin seine bleibende Mächtigkeit über die Zukunft dieses Volkes einsichtig und glaubhaft zu machen"[48].

Ganz im Rahmen der Denkschrift (7, 9b. 11 ff.; 8, 6f. 12f.) verläuft denn auch seine Propheteninterpretation, die er Jes 6 unterstellt.

„So ist der Prophet hier nur bedingt als der Mann verstanden, der Gottes Beschluß über die Zukunft ausrichtet, sondern er wird zugleich als Rufer zur Entscheidung gesehen, der sein Volk vor die Wahl zwischen Leben und Tod,

---

[45] Ch. Hardmeier, Verkündigungsabsicht, 251.
[46] O. Kaiser, Jesaja I, 122.
[47] Vgl. O. Kaiser, Jesaja I, 123.
[48] O. Kaiser, Jesaja I, 118.

Bestand oder Untergang stellt. Es ist gewiß, daß dieses zweite Verständnis des Prophetenamtes als der Beauftragung zur Buß- und Umkehrpredigt wesentlich dem deuteronomistischen Prophetenbild entspricht, das so nach dem Zusammenbruch des judäischen Staates entwickelt worden und wohl durch ganze zwei Jahrhunderte von der Zeit der Wirksamkeit Jesajas getrennt ist."[49]

Daß man nach 587 die Denkschrift so wie O. KAISER verstanden hat, kann nicht ausgeschlossen werden. Aber das besagt noch nicht, daß die einzelnen Teile der Denkschrift erst in dieser Zeit entstanden sein können. Scheidet man einige spätere Zusätze aus, dann verweist nichts auf diese Spätzeit. Weder die Gattung von Jes 6 – wie immer man sie auch bestimmen mag – noch das Vokabular, noch das Imaginationsfeld verweisen auf die Zeit nach 587. Die von O. KAISER bemühte Tendenzkritik ist bedeutsam, aber subjektiv. Denn daß der Jesaja der Denkschrift als Rufer zur Entscheidung und als Buß- und Umkehrprediger zu verstehen sei, und darauf basiert die Zuweisung zum deuteronomistischen Prophetenbild, ist ein reines Postulat. Der Verstockungsauftrag schließt die Umkehr ja gerade aus. Ihn anders zu interpretieren, ist mehr als nur ein Mißverständnis. Sollten Jes 7 und 8 je ein solches Prophetenverständnis bezeugen, wie O. KAISER es postuliert, dann wäre auch von da her für die ursprüngliche Selbständigkeit von Jes 6 zu plädieren. Denn der Auftrag von 6, 9 f. läßt sich nicht in eine Umkehrforderung umbiegen. Es wird aber noch zu zeigen sein, daß man selbst Jes 7 nicht nur als Buß- und Umkehrpredigt, sondern ebenso auch als Vollzug des Verstockungsauftrages interpretieren kann. Wenn die Verstockung dem Gericht Jahwes über sein ungetreues Volk zuzuordnen ist, dann kann man sie der vorexilischen Gerichtsprophetie nicht absprechen.[50]

Versteht man Jes 6, 1–11 aber als authentischen Jesajatext, dann ist

[49] O. Kaiser, Jesaja I, 122 f.

[50] Siehe dazu O. Kaiser, Jesaja I, 123, der in der Denkschrift nur die Wirkung gespiegelt sieht, die von der vorexilischen Gerichtsprophetie auf die Überlebenden ausging. Vor O. Kaiser hat schon C. F. Whitley, Call, 38–48, Jes 6 als nichtauthentisch erklärt. Zur Kritik an C. F. Whitley siehe R. Knierim, Vocation, 47 Anm. 1.

man wieder bei der alten Frage angelangt, ob Jesaja von allem Anfang an Verstockungsprophet war oder nicht. Hierbei geht es nicht nur um eine nebensächliche Datierungsfrage und auch nicht nur darum, ob Jesaja seinen Selbstbericht von Kap. 6 unmittelbar nach seinem dort geschilderten Erlebnis genauso formuliert oder dieses erst später getan hat,[51] es geht vielmehr um das Verständnis der Prophetie Jesajas und der Verstockung selbst.

Der Ausgangspunkt der Rückprojizierungsthese ist die Unvereinbarkeit von 6, 9f. mit der sonstigen Verkündigung Jesajas. Doch ist eben fraglich, ob diese vermeintliche Unvereinbarkeit auch tatsächlich besteht. Sie wäre als Faktum gegeben, wenn Jesaja ein Heilsprophet wäre, wenn er Umkehr gepredigt oder einen Rest angesagt, wenn er mit dem Zion eine positive Zukunftserwartung verbunden hätte. Nach den obigen Ausführungen zu den Themen *Messias, Umkehr, Rest, Zion* dürfte jedoch sicher sein, daß sich in den authentischen Jesajatexten Derartiges einfach nicht findet. Da auch Kap. 1 Jesaja abzusprechen war,[52] scheint lediglich Kap. 7 eine allerdings sehr bedeutsame Ausnahme zu bilden. Denn hier könnte es in der Tat so sein, daß Jesaja in seiner Begegnung mit Ahas nicht den Verstockungsauftrag von 6, 9f. vollzieht, sondern dem König eine wirkliche Alternative anbietet. „Glaubet ihr nicht, so bleibet ihr nicht!" (v. 9b) hat gewiß drohenden Charakter, impliziert jedoch zugleich eine positive Möglichkeit. Wenn der König glaubt, dann ist seine Existenz und die seiner Dynastie gesichert. Gegen einen Verstockungsvollzug in Jes 7 könnte auch das Zeichenangebot von v. 11 sprechen. Ahas soll nicht nur auf das Wort hin glauben müssen. Das Zeichen soll ihm seine Entscheidung für Jahwe erleichtern. In diesem Zusammenhang ist auch eigens auf die Imperative in v. 4 und in v. 11 hinzuweisen.[53] Sie haben die Absicht und Funktion, Ahas vor

---

[51] Siehe dazu auch R. Kilian, Verstockungsauftrag, 213 f.

[52] Siehe dazu oben S. 32–38.

[53] Bei v. 4 ist es allerdings fraglich, ob dieser Vers schon zur ursprünglichen, jesajanischen Textgestalt gehört hat. Die greifbare Nähe zu deuteronomistischen Kriegsansprachen läßt vermuten, daß v. 4 erst nachträglich eingefügt wurde.

falschem Tun zu warnen; sie drängen ihn, sich auf seinen Gott und dessen Zusage einzulassen.

Andererseits kann man in Jes 7 geradezu ein Paradigma für den Verstockungsvollzug erkennen. Denn daß Ahas zum richtigen Tun aufgefordert wird, sei es in einem Imperativ, sei es in einer Aktualisierung alter Traditionen, sei es in einem Zeichenangebot, das alles spricht nicht gegen Verstockung, sondern gehört ganz wesentlich mit dazu. Jesaja wird ja nicht beauftragt, eine falsche Botschaft auszurichten. Gerade darin unterscheidet sich Jes 6 von 1 Kg 22, 19–22, wo der auszusendende Bote Ahab betören soll, was er dann als Lügengeist im Munde aller Propheten auch schafft. Über wen das Verstockungsgericht verhängt ist, der soll hören und sehen, aber nichts erkennen und nichts begreifen (6, 9). Da Jesaja nicht mit falscher Botschaft befrachtet wird, ist anzunehmen und in den Texten auch zu belegen, daß er stets wahre prophetische Botschaft ausgerichtet hat. Und so sagt er auch in Jes 7 dem König, was von ihm erwartet wird, was er als Davidide zu tun hat. Ahas hört denn auch, was der Prophet sagt, aber er begreift nicht. Er erkennt nicht, daß dies seine letzte Chance ist. So geht er seinen eigenen Weg und zieht sich das Gericht zu. In 7, 13–17 folgt dann auch sogleich das Gerichtswort.[54]

Hat man aber davon auszugehen, daß es mit zur Verstockung gehört, daß der Prophet Richtiges verkündet und ihm der Vollzug der Verstockung gerade im Rahmen seiner Verkündigung aufgetragen ist, dann kann man weder mit vermeintlich belegbaren noch gar mit nicht bezeugten Umkehrforderungen noch mit Imperativen und Appellativen zum richtigen Handeln gegen den Verstockungsauftrag Jesajas von allem Anfang an argumentieren. Denn Verstockung wird ja nicht dadurch bewirkt, daß sich Jesaja hinstellt und öffentlich verkündet: 'Ihr seid böse Leute, deshalb verstocke ich euch jetzt im Auftrag Jahwes!' So ist E. JENNI zuzustimmen, wenn er annimmt, daß Jes 6, 9

„gar nicht den Inhalt der öffentlichen prophetischen Verkündigung an das Volk umschreibt. Es heißt zwar dort: »Geh, sprich zu diesem Volk: Höret,

---

[54] Zum Nachweis, daß 7, 13–17 im Sinne Jesajas als Gerichtswort zu verstehen ist, siehe R. Kilian, Verheißung, 95–124.

doch ohne zu verstehen, sehet, doch ohne zu erkennen!« Aber ist das wirklich eine Botschaft, die das Volk dann entweder annehmen oder ablehnen könnte? . . . Ist das eine Aussage, auf die der Hörer verantwortlich reagieren könnte? Muß man hier nicht zuerst einmal formgeschichtlich nach der Gattung dieses Wortes mit seinen Imperativen fragen? Hier liegt nicht ein Droh-, Schelt-, Mahn- oder Verheißungswort der öffentlichen Verkündigung vor, sondern ein Machtwort, das dynamisch wirkt und handelt, auch ohne daß die Leute hinhören. . . . Es ist deutlich, daß in V. 9 und 10 nicht so sehr auf die Verkündigung, sondern vielmehr auf den zu erwartenden bzw. von Jahwe gewollten Erfolg der prophetischen Tätigkeit geblickt wird"[55].

Besser noch bekommt Ch. HARDMEIER den Verstockungsauftrag in Griff, indem er v. 9b f. als fiktiven Auftrag bestimmt, der kein Verkündigungsgegenstand ist, sondern nur etwas über die Wirkung der jesajanischen Botschaft aussagt. Dadurch wird ein magisches Verständnis des Verstockungsauftrags als selbstwirksames Machtwort, das das Gericht herbeiführt, überflüssig.[56]

Verstockung dürfte sich wohl so vollziehen, daß zwar wahre prophetische Botschaft ergeht, diese aber nicht mehr verstanden, geglaubt und realisiert werden kann, weil man schon Gefangener seiner Untaten, seines bösen Denkens ist. Durch das Nichtbeachten und Ablehnen des Prophetenwortes verrennt man sich noch weiter, entzieht sich noch mehr dem richtungweisenden Wort, so daß schließlich überhaupt keine Rückkehr und kein Ausbruch aus dem eigenen Teufelskreis mehr möglich ist. Indem prophetische Botschaft beim Hörer ein solches Ergebnis zeitigt, eine Rück- und Umkehr ausschließt, vollzieht sich Verstockung, geschieht genau das, was in 6, 10 als Ziel der jesajanischen Tätigkeit angegeben ist, nämlich daß das Volk nicht mehr umkehren kann, denn sonst müßte oder könnte es ja noch geheilt werden, könnte es Heil erfahren. Da die Verstockung eine Umkehr unmöglich macht, treibt sie direkt in die Heillosigkeit hinein und ist somit bereits Gerichtsvollzug.

Versteht man Verstockung auf diese Weise, dann kann man auch von Jes 7 aus nicht gegen den Verstockungsauftrag Jesajas von allem

---

[55] E. Jenni, Jesajas Berufung, 336 f.
[56] Vgl. Ch. Hardmeier, Verkündigungsabsicht, 246.

Anfang an argumentieren. Dann kann man auch nicht mehr postulieren, in der Gerichtsverkündigung Jesajas schimmere de facto noch eine Heilsmöglichkeit durch, da der Aufweis der nahen Katastrophe das Volk zur Besinnung bringen solle. Eine solche Wende wäre theoretisch nur dann möglich, bestünde nicht der Verstockungsauftrag, der jedwede Besinnung und Umkehr von vornherein vereitelt.

Nimmt man den Verstockungsauftrag jedoch beim Wort und bleibt man beim Wort, dann kann man die Verstockung nicht einseitig im Rezeptionsverhalten der Hörer verankern, wie Ch. HARDMEIER es offensichtlich tut, vielmehr muß man Verstockung als ein von Jahwe gewolltes Geschehen verstehen, der einfach keine andere Reaktion, kein anderes Rezeptionsverhalten der Hörer mehr zuläßt. Es ist Jahwes Wille und Auftrag an Jesaja, daß das Volk nicht mehr zur Einsicht kommen kann bzw. darf und sich deshalb das Gericht zuzieht. Inwieweit sich Jahwe dabei der psychischen Verfaßtheit des Volkes bedient, ist eine andere Frage. Daß er das tut, ist zwar nicht auszuschließen, aber auch nicht erhebbar, weil der Text selbst nur eine theologische Aussage macht: durch Jesajas Prophetie wird das Gericht nicht mehr nur angedroht – wie es viele Texte zu bezeugen scheinen –, es beginnt sich in der Verstockung bereits zu verwirklichen, weil Jahwe es so will.

Akzeptiert man das hier vorgetragene Verstockungsverständnis, dann hat das zur Folge, daß überhaupt kein Jesajatext mehr gegen eine Verstockungstätigkeit des Propheten vorgebracht werden kann. Selbst wenn sich bei ihm eine absolute und direkte Heilszusage finden sollte, sie müßte dann doch als Verstockung interpretiert werden, etwa in dem Sinne, daß diese Botschaft die Hörer in ihrer Heilssicherheit bestärken würde, diese sich um so mehr in ihrem Dünkel verstricken und um so mehr Schuld auf sich laden würden.

„Jedes Wort des Propheten wird sie nur noch klüger machen in ihren menschlichen Gedanken, wird sie verhärten darin, ihre menschlichen Positionen, in denen sie sich so fest und unangreifbar fühlen, nicht aufzugeben." [57]

---

[57] V. Herntrich, Jesaja, 108.

Freilich muß man das Ganze gar nicht so sehr auf die Spitze treiben, denn wenn die Ausführungen in den Kapiteln I–V zutreffend sind, und die Textbasis spricht dafür, dann hat Jesaja nie etwas verkündet, was mit einem Verstockungsauftrag von allem Anfang an nicht vereinbar wäre. So ist auch von hier aus die Grundvoraussetzung der Rückprojizierungsthese mehr als nur fragwürdig.

Zwar bemüht man häufig die Frühzeitverkündigung Jesajas in dieser Frage, aber sie bringt de facto nichts ein. Denn einmal dürfte Jesaja erst kurz vor dem syrisch-efraimitischen Krieg berufen worden sein, und zum andern ist Jes 1 nicht authentisch. Da sollte man sich doch viel eher fragen, wie und warum Jesaja in dem überaus reflektierten Weinberglied (5, 1–7), das weder formal noch inhaltlich eine zufällige Äußerung sein kann, zu einer so dezidierten Aussage gelangen konnte. Jes 5, 1–7 ist ja nicht nur eine desillusionierende Bestandsaufnahme, in v. 5 f. wird – wenn auch noch im Bild – zugleich das endgültige Urteil gefällt. In v. 7 wird das Bild gedeutet und das Urteil noch einmal begründet, in Fraktur! Ist diese absolute Gerichtsankündigung in der Frühzeit Jesajas verständlich ohne den Verstockungsauftrag und ohne die Berufungsvision von Jes 6? Viel eher ist sie deren Umsetzung in die prophetische Verkündigung. Der Gerichtscharakter, der das Weinberglied bestimmt, ist in Jes 6 grundgelegt.[58] Er ergibt sich dort nicht nur aus dem Verlorensein Jesajas, der ein Glied eines Volkes unreiner Lippen ist. Er zeigt sich auch in der Heiligkeitsprädikation Jahwes; denn in den echten Jesajatexten begegnet der heilige Gott nur in Gerichtskontexten.

---

[58] Zum Gerichtscharakter von Jes 6 sei noch einmal verwiesen auf R. Knierim, Vocation, 47–68.

VII. JESAJAS VERKÜNDIGUNG

Mit dem allgemeinen Wandel des Prophetenverständnisses in diesem Jahrhundert hat sich in der alttestamentlichen Wissenschaft auch das Jesajabild geändert.[1] Von welcher Bedeutung dabei die Unterscheidung von authentischen Worten und deren späterer Überarbeitung bzw. Erweiterung ist, soll für die letzten Jahrzehnte anhand der Arbeiten von G. VON RAD, G. FOHRER, W. H. SCHMIDT und O. KAISER aufgezeigt werden. Je nachdem, was dem Propheten belassen oder abgesprochen wird, ändert sich der Charakter seiner Verkündigung.

G. VON RAD betont die überlieferungsgeschichtliche Gebundenheit Jesajas, weiß aber auch, daß der Prophet das Überkommene der je neuen geschichtlichen Situation entsprechend verändern und neu prägen konnte. Trotzdem läßt sich zeigen,

„daß die breite, ausladende Fülle der Botschaft Jesajas auf ganz wenigen religiösen Vorstellungen ruht, die ihm von der Tradition, vor allem der jerusalemischen, vorgegeben war"[2].

Wie Amos ist er im überlieferten Gottesrecht verankert und ist wie dieser Wächter und Sprecher des Gottesrechtes. Charakteristisch für Jesaja ist jedoch in besonderer Weise seine Verbindung zur Jerusalemer Zionstradition. Auf ihr basierend, ist er überzeugt, „daß Jahwe den Zion unter allen Umständen gegen den Assyrer schützen wird"[3]. Da Jesaja aber andererseits „von dem Kommen der Assyrer fast ausschließlich ein verheerendes Strafgericht und eine Züchtigung für Juda erwartet hat (Jes 7, 18. 20)"[4] und im Arielgedicht

---

[1] Siehe dazu u. a. W. H. Schmidt, Zukunftsgewißheit.
[2] G. von Rad, Theologie II, 156.
[3] G. von Rad, Theologie II, 171.
[4] G. von Rad, Theologie II, 171.

(Jes 29) gar Jahwe selbst der Bedränger des Zion ist, ergibt sich hier für G. VON RAD eine merkwürdige theologische Ambivalenz: Jahwe richtet und rettet in einem. Gerade diese Botschaft vom bedrohten und schließlich doch geretteten Zion durchzieht die ganze Verkündigung Jesajas. Freilich, das Volk hat ihm nicht geglaubt, „und Jahwe hat seine Stadt nicht geschützt"[5]. Trotzdem wird Jesaja an seinem Gott nicht irre.

Außer der Zionsthematik dominiert in der Prophetie Jesajas nach G. VON RAD das messianisch-davidische Thema, das in der höfisch-sakral bestimmten Theologie Jerusalems lebendig war und sich vor allem in den sogenannten Königspsalmen niedergeschlagen hat. Dieses Thema ist besonders in Jes 11, 1–8 bezeugt. Neu ist bei Jesaja jedoch, daß er seine Aussagen nicht, „wie es bisher üblich war, an einen gleichzeitigen und gegenwärtigen Gesalbten auf dem Thron Davids, sondern an einen zukünftigen, der »dem Wurzelstock Isais« entstammen wird", bindet.[6] Jes 8, 23b–9, 6 zeigt darüber hinaus, daß Jesaja den Gesalbten Jahwes in ganz naher Zukunft erwartet, und zwar im Zusammenhang der Überwindung der Assyrernot.[7]

Abschließend kann G. VON RAD feststellen:

„So kann man also sagen, daß die gesamte Verkündigung Jesajas auf zwei Überlieferungen steht, der Zion- und der Davidüberlieferung. Beides sind Erwählungstraditionen, d. h. von ihnen aus haben sich in der Königszeit gewisse Kreise in Israel vor Jahwe legitimiert; ... Auch Jesaja lebt in diesen Traditionen; aber er bringt doch etwas entscheidend Neues: Während die Zionslieder sich darauf gründeten, daß Jahwe den Zion erwählt habe, während die Königspsalmen sich darauf gründeten, daß Jahwe David erwählt habe, ist Jesaja ganz der Zukunft zugekehrt: Jahwe wird den Zion retten, Jahwe wird den Gesalbten, den neuen David erstehen lassen. Und hier, in diesem zukünftigen Geschehen, nicht in einem geschichtlichen, liegt das Heil für Jerusalem. An diese zukünftige Errettung gilt es zu glauben; eine andere Rettung gibt es nicht."[8]

---

[5] G. von Rad, Theologie II, 173.
[6] G. von Rad, Theologie II, 176.
[7] Vgl. G. von Rad, Theologie II, 178.
[8] G. von Rad, Theologie II, 181.

Diese Grundkonzeption hat weithin Anklang gefunden und wird auch heute noch, wenn auch differenziert und modifiziert, vertreten. Es genüge der Hinweis auf den Jesajakommentar von H. WILDBERGER.

Anders dagegen G. FOHRER, der die Verwurzelung Jesajas in den „angeblich alten sakralen Überlieferungen von der Erwählung Davids und des Zion" leugnet.[9] Ist die Zionstradition, wie sie üblicherweise verstanden wird, keine alte, Jesaja vorgegebene Überlieferung, dann kann er auch nicht daran anknüpfen und dann müssen die entsprechenden Heilszusagen als nichtjesajanisch deklariert und ausgeschieden werden. Sind zudem die messianischen Texte 9, 1–6 und 11, 1–9 der nachexilischen eschatologischen Prophetie zuzuordnen, dann kann Jesaja auch nicht mehr als Verkünder der messianischen Hoffnung gelten. – Zu solchen Mißverständnissen konnte es nur kommen, weil man nicht sorgfältig genug zwischen primärem und sekundärem Gut in Jes 1–39 unterschieden und Jesaja Texte zugeschrieben hat, die den authentischen erst in viel späterer Zeit zugewachsen sind und als man den ursprünglichen oder doch älteren Sammlungen von Unheilssprüchen eschatologische Heilsworte hinzufügte.[10]

Es ist zu beachten, daß sich hier in G. FOHRERS Sichtweise nicht einfach ein unreflektiertes Vorverständnis zu Wort meldet, er kann sich in seiner Einzelargumentation sehr wohl – wenn auch nicht immer ausführlich – auf den Stil, die historische Situation, auf die Inhalte und gleiche oder ähnliche Vorstellungen in anderen Büchern sowie auf die religionsgeschichtliche Entwicklung in Israel berufen. Deshalb ist seine Ablehnung der Grundkonzeption G. VON RADS überaus gewichtig.

Nach G. FOHRER ist Jesajas Prophetie gerade nicht eschatologisch, sondern ganz und gar der Gegenwart zugewandt. Und ihr kündigt er immer wieder das Gericht an.

---

[9] G. Fohrer, Jesaja I, 16. Zur Position G. Fohrers in der heutigen Prophetenforschung siehe L. Markert/G. Wanke, Propheteninterpretation, 191–220.

[10] Vgl. G. Fohrer, Jesaja I, 16 u. ö.

„Das furchtbare Drohen mit dem gottgewollten Ende des schuldbeladenen Daseins durchzieht die Verkündigung des Propheten in erhabener und erschütternder Eintönigkeit von der Berufung (6, 1) bis zu seinen letzten Worten (1, 4 ff.; 22, 1 ff. und wohl 32, 9 ff.).“ [11]

Aus dieser Gerichtssituation

„retten kann lediglich die völlige Wandlung des Menschen und das Tun des göttlichen Willens im täglichen Leben 1, 16 f., nur Gehorsam 1, 18–20 und die durch den Namen des Prophetensohnes gebotene Umkehr 7, 3. JHWH wird helfen, wenn die Jerusalemer an ihn »glauben« und ihm vertrauen 7, 9, still und vertrauensvoll auf ihn harren 30, 15 und demütig mit leiser Stimme wie derjenigen eines Totengeistes aus dem Staube flüstern 29, 4. Dann könnte sogar ganz Juda der »Rest« sein, der in den furchtbaren Kriegsstürmen übrigbleibt. In alledem ist Jesaja ein Prophet der Umkehrforderung“ [12].

Das Umkehrthema als zentrales Anliegen der Verkündigung Jesajas wird dann von H. W. HOFFMANN, einem Schüler G. FOHRERS, breit entfaltet und als die eigentliche Intention jesajanischer Predigt herausgestellt. [13]

Ein kritischer Vergleich zwischen der Konzeption G. VON RADS und der von G. FOHRER führt zunächst dazu, daß man in den Fragen der Zions- und Messiasverkündigung G. FOHRER zustimmen muß. Denn die oben in Kapitel I erzielten Ergebnisse erweisen, daß Jesaja keinen Messias angesagt hat. Auf Grund der Ergebnisse von Kapitel III sind auch alle jene Texte in Jes 1–39 Jesaja abzusprechen, die eine Beziehung zur sogenannten Zionstradition aufweisen, und dies nicht deshalb, weil sie eine solche Beziehung aufweisen, sondern weil andere Kriterien (Vokabular, Stil, Motivverwandtschaften, der Verlauf der israelitischen Religionsgeschichte, die Eigenart der Relecture) diese Texte in die Spätzeit verweisen. Könnten bei einigen wenigen Texten auch noch Fragen offenbleiben, so legt doch das Gesamt dieser oben verhandelten Textgruppe [14] ein eindeutiges Zeugnis

---

[11] G. Fohrer, Jesaja I, 15.
[12] G. Fohrer, Einleitung, 408 f. Siehe dazu auch ders., Jesaja I, 15 f., und oben S. 107–111.
[13] H. W. Hoffmann, Intention.
[14] Siehe oben S. 40–97.

134

ab. Was dort festzustellen war, gilt sogar auch dann noch, wenn es tatsächlich die von G. VON RAD und vielen anderen postulierte Jerusalemer Zionstradition je gegeben haben sollte. Doch spricht so ziemlich alles dafür, daß auch die sogenannten Zionslieder der Spätzeit zuzuordnen sind.

Löst man nun aber die mit der Zionstradition verwandten Texte und auch die messianischen Verheißungen vom vermutlich authentischen Jesajagut ab, trennt man also Authentisches von Sekundärem, dann ist es auch nicht mehr notwendig, für die Verkündigung Jesajas Paradoxien und Ambivalenzen zu postulieren. Dann muß man auch nicht mehr Strukturen erarbeiten und sachlich wie formal komplexe Anlagen erfinden, in denen Unheil und Heil miteinander verbunden sind, die für Jesaja geradezu charakteristisch sein sollen, die aber ansonsten in der vorexilischen Prophetie nicht belegt sind.[15] Solche Konstruktionen sind nichts anderes als die Konsequenzen einer unterlassenen oder ungenügenden literarkritischen Scheidung bzw. Ortung der jeweiligen Texte. Ein derartiges Vorgehen hat dann freilich wiederum zur Folge, daß man auch andere Texte in diese Ambivalenz einbezieht. Denn wenn es bei den Zionstexten in 1–39 so ist, daß sie Unheil und Heil zugleich bergen, dann ist solches bei anderen Einheiten nicht nur auch möglich, sondern sogar wahrscheinlich. Was einmal zu einer Grundkategorie jesajanischer Theologie erhoben ist, kann überall eingesetzt und entfaltet werden. So ist es denn nachgerade selbstverständlich – um nur ein Beispiel zu nennen –, den Namen Schear-Jaschub ambivalent zu interpretieren, auch wenn die jesajanische Restvorstellung als solche eindeutig ist.[16]

G. FOHRER ist auch darin zuzustimmen, daß er die Gerichtsverkündigung so sehr betont. Denn in der Tat durchzieht die Gerichtsthematik die gesamte Verkündigung Jesajas. Er wird nicht müde, immer und immer wieder das Gericht anzusagen. Zwar wird auch

---

[15] Für solche Versuche genüge der Hinweis auf H. Barth, Jesaja-Worte, 86. 188 f.; O. H. Steck, Friedensvorstellungen, 55 Anm. 150; H. Wildberger, Jesaja III, 1102 f., der die Ambivalenz zu einer Grundkategorie jesajanischer Theologie erhebt.

[16] Siehe dazu oben Kap. II und H. Wildberger, Jesaja III, 1103.

von anderen Autoren dieses Thema herausgestellt, aber wo zugleich auch von der Unverletzlichkeit des Zion und von künftigem Heil die Rede ist, da verliert die Gerichtsbotschaft an Ernst und Bedeutung. Bedenken sind jedoch anzumelden, wenn G. Fohrer Jesaja als einen Propheten der Umkehrforderung bestimmt, der sein Volk „vor das Entweder–Oder von Untergang durch das göttliche Strafgericht oder Rettung durch Umkehr vom falschen Wege zu Gott hin" gestellt hat.[17] Denn wie die obigen Ausführungen zum Thema *Umkehr* gezeigt haben, ist Jesaja nicht berufen worden, Umkehr zu predigen, sondern Umkehr zu verhindern. Umkehr war früher einmal möglich, ist in den Tagen Jesajas jedoch bereits verspielt. Das ist nicht nur der terminologische, sondern auch der sachliche Befund, will man die in Frage kommenden Jesajatexte nicht verdeuten.[18]

Auch W. H. Schmidt weiß, daß die Gerichtsankündigung in der Prophetie Jesajas dominiert. Für ihn verhält es sich so, daß der Verstockungsauftrag die Unheilsankündigungen des Amos sogar noch verstärkt,[19] was in der Tat auch zutrifft, weil die Verstockung jedweden Ausweg versperrt.

„Selbst die Mahnungen, die eigentlich auf Abwehr des Unheils zielen, werden abgelehnt und führen so nur das Gericht herbei. Auch ein (mögliches) Heilsangebot bewirkt nur Verstockung."[20]

Ebenso ist die Möglichkeit einer Umkehr vertan.[21] Von Israels Seite her ist alles verspielt. Aber für W. H. Schmidt ist damit noch nicht endgültig der Stab über die Schuldigen gebrochen. Nach ihm gibt es für die Prophetie nach Amos überraschenderweise doch noch ein Heil, dies freilich nur im Durchgang durch das Gericht.[22] Da die

---

[17] G. Fohrer, Jesaja I, 16.

[18] Siehe dazu oben S. 107–111.

[19] Siehe dazu W. H. Schmidt, Zukunftsgewißheit, 25. Zur Position W. H. Schmidts in der heutigen Prophetenforschung sei ebenfalls auf die Arbeit von L. Markert/G. Wanke, Propheteninterpretation, 191–220, verwiesen sowie auf J. M. Schmidt, Ausgangspunkt, 65–82.

[20] W. H. Schmidt, Zukunftsgewißheit, 26.

[21] Vgl. W. H. Schmidt, Zukunftsgewißheit, 48f.

[22] Vgl. W. H. Schmidt, Zukunftsgewißheit, 83f.

Menschen keine bessere Zukunft herbeiführen können, bleibt den Propheten nur die Hoffnung, eine Wende von Gott her zu erwarten. Eine heilvolle Zukunft ist als Tat Gottes nach wie vor möglich.[23]

„Gericht und Heil brauchen sich für die prophetische Erwartung nicht einmal in zwei verschiedenen Akten zu verwirklichen, sondern können ineinander liegen. So vereinigt *Jesaja* in seinem Klagelied über Jerusalem (1, 21–26) die Androhung von Unheil mit der Verheißung von Heil. Wie das Leichenlied die ruhmreiche Vergangenheit des Toten von der traurigen Gegenwart abhebt, so stellt Jesaja zunächst die Herrlichkeit Jerusalems als Ort des Rechts dem herrschenden Unrecht und Elend gegenüber . . . Jedenfalls kommt es Jesaja dabei gerade nicht auf die Identität von Vorstellung und Wirklichkeit, sondern auf die Differenz und damit die Kritik an der Gegenwart an. Tradition und Situation stimmen nicht überein. Vielmehr wird die Tradition zur Hoffnung auf Verhältnisse, die Gott selbst herbeiführt." [24]

Die Durchsetzung des Rechts ist eschatologisches Werk Gottes.

„Dieser Ansatz findet sich in der Erwartung des Zukunftsherrschers wieder: Er selbst wird, durch Gottes Geist befähigt, das rechte Urteil sprechen (Jes 11, 2 ff.). Auch die *messianischen Weissagungen* richten also ihre Hoffnungen nicht auf die amtierende Dynastie, sondern auf einen neuen Herrscher . . . Das Vorhandene soll keine Fortsetzung erfahren; die Geschichte der Dynastie wird beiseite geschoben oder gar ausgelöscht. So enthält die Ankündigung eines Zukunftskönigs ein stark oppositionelles Element; sie hebt den Ernst des von Jesaja angedrohten Gerichts (Jes 7, 9. 16 f.) keineswegs auf, sondern setzt ihn voraus." [25]

Sosehr man W. H. Schmidt in seinem Gerichtsverständnis zunächst zustimmen kann, weil es in sich einsichtig ist, so überrascht doch die von ihm postulierte Einheit von Unheils- und Heilsverkündigung. Eine solche ist freilich nur möglich, wenn Jesaja tatsächlich Heil angesagt, wenn zumal die eigens angeführten Texte 1, 21–26 und 11, 1–5 authentische Jesajaworte sind.[26] Nach Ausweis der hier erzielten Ergebnisse ist dies jedoch keineswegs der

---

[23] Vgl. W. H. Schmidt, Zukunftsgewißheit, 82–88.
[24] W. H. Schmidt, Zukunftsgewißheit, 86.
[25] W. H. Schmidt, Zukunftsgewißheit, 87.
[26] Siehe dazu auch noch W. H. Schmidt, Zukunftsgewißheit, 88 Anm. 14.

Fall.[27] Um es noch einmal zu wiederholen: Jesajas Verkündigung kennt keinen Messias und keine Heilszusagen. Nicht einmal ein Umschwung in der Beurteilung Assurs durch Jesaja, der dann indirekt eine Heilshoffnung für Juda/Jerusalem implizieren könnte, läßt sich wahrscheinlich machen.[28] Daraus ergibt sich, daß die von W. H. SCHMIDT vertretene Sicht der Heilsankündigung Jesajas der entsprechenden Textbasis entbehrt und so auch nur eine Variante herkömmlicher Konstruktionen oder Vorverständnisse ist.

Es mag eigens angemerkt sein, daß es in der Kritik an G. VON RAD, G. FOHRER und W. H. SCHMIDT, die ja nur stellvertretend für viele andere genannt sind, nicht darum geht, irgendein bestimmtes Prophetenverständnis zu behaupten oder zu bestreiten, auch nicht darum, die Verdienste dieser Wissenschaftler um die Prophetenforschung zu mindern, es geht einzig allein um die Frage der Authentizität jener Texte, auf die sich die Genannten berufen. Und deshalb dreht sich auch in der hier vorgelegten Studie immer wieder alles um die eine Frage: Welche Texte sind Jesaja zuzuordnen, welche sind ihm abzusprechen? Ich kann nicht den Anspruch erheben, daß man allenthalben den hier erzielten Ergebnissen zustimmt, wohl aber sollte deutlich geworden sein, daß man sich zunächst und zuförderst der Frage der Authentizität stellen muß, ehe man Jesaja als Propheten würdigt und seine Botschaft theologisch zu entfalten versucht. Das hier Vorgelegte soll dazu erneuter Anstoß oder gar Herausforderung sein.

Kann man den in den Kap. I–VI aufgewiesenen Befund und den daraus zu ziehenden Folgerungen zustimmen, dann geht es heute allerdings nicht mehr an, Jesaja als „Rufer des Heils in heilloser Zeit" zu verstehen,[29] man muß ihn vielmehr als Gerichtspropheten bestimmen, näherhin als den Propheten des Verstockungsgerichtes. Denn ihm können weder Heilsworte – auch keine bedingten – noch Umkehrforderungen zugeordnet werden. Wenn selbst Jes 7 dem

---

[27] Siehe dazu oben S. 35–38. 10 ff.
[28] Siehe dazu oben Kap. IV, S. 98–106.
[29] So der Titel der Jesaja-Studie von C. Schedl.

Verstockungsauftrag integriert werden kann,[30] dann verbleibt nichts mehr, was eine Diskrepanz zwischen Verstockungsauftrag und tatsächlicher Verkündigung Jesajas wahrscheinlich oder auch nur möglich machen könnte. Damit entfällt auch endgültig die Basis für eine Rückprojizierungsthese in der Frage der Verstockung. Es bleibt dabei: Jesaja hat nur Unheil und Gericht angesagt und durch seine Argumentation auch einsichtig zu machen versucht.

Seine Predigt ist freilich mehr als nur Gerichtsankündigung. Indem er verkündigt, verstockt er zugleich und vollzieht dadurch bereits das angesagte Gericht, zumindest in nuce.

Kann jedoch die gesamte Verkündigung Jesajas als Gerichtsbotschaft verstanden werden, dann steht nichts mehr der Annahme im Wege, daß der Verstockungsauftrag von Jes 6 bereits zu Beginn der Tätigkeit Jesajas anzusiedeln ist. Dann ist zudem auch nicht mehr auszuschließen, daß der Auftrag zur Verstockung und das Ereignis der Berufung eine Einheit bilden, selbst wenn die Ausformulierung von Jes 6 in eine spätere Zeit fallen sollte, was aber keineswegs sicher ist.

Wenn derzeit noch ein Großteil der Exegeten dem überlieferten Jesajabild verpflichtet ist, vor allem jene, die von der Zionstradition nicht ablassen wollen, so dürfte das lediglich noch eine Frage der Zeit sein. Auf die Dauer kann man sich den hier referierten Argumenten wohl nicht entziehen.

Inzwischen hat die Forschung zudem wieder einen weiteren Schritt getan. Bereits 1968 hat J. BECKER auf die Notwendigkeit einer redaktionsgeschichtlichen Betrachtungsweise des Jesajabuches hingewiesen und Grundlinien für eine solche Arbeitsweise aufgezeigt.[31] O. KAISER hat nun in der 5. Auflage (1981) seines Jesajakommentars zu den Kap. 1–12 konsequent einen rein redaktions- und tendenzkritischen Weg beschritten, der Ergebnisse zeitigt, die von den bisherigen literarischen Bewertungen des Prophetenbuches abweichen und zu einer fundamental anderen Sicht führen.

[30] Siehe dazu oben S. 126 ff.
[31] J. Becker, Isaias.

139

Es dürfte im Augenblick noch verfrüht sein, zumal erst die Ergebnisse zu Jes 1–12 vorliegen, sich dazu ein 'vorläufig endgültiges' Urteil zu gestatten. Immerhin ist anzumerken, daß eine solche Sicht die bereits verkrustete Argumentation der üblichen Jesajaforschung sprengen kann und in der Lage ist, neue Wege aufzuzeigen. Deshalb ist ein solcher Vorstoß in wissenschaftliches Neuland zu begrüßen. Ob dieser kritische Vorstoß sich in der Folgezeit jedoch bewähren kann, ist eine andere Frage. Denn es scheint nicht ausgeschlossen zu sein, daß hier subjektive Mutmaßungen – wie in Anfangsstadien üblich – über das Ziel hinausschießen. M. E. ist eine redaktions- und tendenzkritische Methode nur dann befugt, kompetente Urteile zu fällen, wenn auch andere Kriterien, wie z. B. Vokabular, Stil, Motivverwandtschaften und historische Situationen, eingebracht werden können.

Die Frage nach Jesaja und seinem Buch vom Ende, vom vorliegenden Text her zu untersuchen, hat zweifellos ihre Berechtigung. Nur sollte dabei nicht grundsätzlich ausgeschlossen werden, daß es trotz aller Schwierigkeiten auch möglich sein könnte, authentische Jesajatexte zu eruieren. Wenn es gelingt, die eschatologischen Texte der nachexilischen Zeit von älterem Gut abzuheben, dann muß auch der Versuch, ursprüngliches Jesajagut auszumachen, zumindest legitim sein. Hier wäre z. B. an Jes 6 zu denken. Das dort Berichtete läßt sich kaum in spätere Klischees pressen, ermöglicht so dann aber u. U. auch weitere Rückschlüsse auf die Verkündigung Jesajas. Nicht viel anders verhält es sich bei Jes 7, 1–17, wenn man von den späteren Erweiterungen (7, 1*. 4. 8*. 15) absieht.

Freilich wird dann wiederum die Frage der Authentizität traktiert. Aber wie die Spätzeit Jesaja verstanden hat, wie sie ihn übernommen hat, so daß das Buch stets aktuell bleiben konnte, das läßt sich vielleicht doch eher deutlich machen, wenn man sich auch intensiv mit der mutmaßlichen Botschaft Jesajas befaßt und sich nicht nur auf die Spätzeit beschränkt. Schließlich muß man sich fragen, warum gerade das Jesajabuch solch umfangreiche Redaktionen erfahren hat. Setzen diese Erweiterungen gerade als Erweiterungen nicht doch einen älteren Kern von Jesajaworten voraus?

LITERATURVERZEICHNIS

Die für Zeitschriften, Serien und Standardwerke benutzten Abkürzungen richten sich nach S. SCHWERTNER, Internationales Abkürzungsverzeichnis für Theologie und Grenzgebiete. Zeitschriften, Serien, Lexika, Quellenwerke mit bibliographischen Angaben (IATG), Berlin/New York 1974.

1. Kommentare (in Auswahl)

Alexander, J. A.: Commentary on the Prophecies of Isaiah, Grand Rapids 1955.

Allan, G. B.: The Book of Isaiah cc. 1–39, London 1930.

Augé, R.: Isaias, 2 Bde., Monestir de Montserrat 1935/36.

Auvray, P.: Isaie 1–39, SBi, Paris 1972.

Ders. – Steinmann, J.: Isaie, SB(J), Paris 1951. ²1957.

Bentzen, A.: Jesaja, 2 Bde., Kopenhagen 1943/44.

Birks, T. R.: Commentary on the Book of Isaiah, London 1871. ²1878.

Boutflower, C.: The Book of Isaiah, Ch. I–XXXIX in the Light of the Assyrian Documents, London 1930.

Bratsiotis, P. I.: Ho Prophètès Isaias, Athen 1956.

Bredenkamp, C. J.: Der Prophet Jesaja, Erlangen 1887.

Cheyne, T. K.: The Prophecies of Isaiah, 2 Bde., London 1880/84; Bd. I ⁵1889, Bd. II ⁴1886.

Clements, R. E.: Isaiah 1–39, NCeB Commentary, Grand Rapids/London 1980.

Condamin, A.: Le Livre d'Isaie, EtB, Paris 1905.

Delitzsch, F.: Commentar über das Buch Jesaia, BC III/1, Leipzig 1879. ⁴1889.

Diestel, L.: Der Prophet Jesaia, KEH, Leipzig 1872.

Dillmann, A.–Kittel, R.: Der Prophet Jesaja, KEH 5, Leipzig 1890. ⁶1898.

Duhm, B.: Das Buch Jesaia, HK III/1, Göttingen 1892. ⁴1922. ⁵1968.

Eichrodt, W.: Der Heilige in Israel – Jesaja 1–12, BAT 17/1, Stuttgart 1960.

Ders.: Der Herr der Geschichte – Jesaja 13–23. 28–39, BAT 17/2, Stuttgart 1967.

Feldmann, F.: Das Buch Isaias, EHAT 14, 2 Bde., Münster 1925.

Ders.: Isaias 1–39, lateinisch und deutsch mit Anmerkungen unter dem Text, Bonn 1940.

Fischer, J.: Das Buch Isaias, HS VII, 1. Abt., 1. Teil, Bonn 1937.

Flier, G. van der: Jesaja I, TeU, 2 Bde., Den Haag 1923/26.

Fohrer, G.: Das Buch Jesaja, 1. Band (Jes 1–23), ZBK, Zürich/Stuttgart 1960. ²1966, zit.: Jesaja I.

Ders.: Das Buch Jesaja, 2. Band (Jes 24–39), ZBK, Zürich/Stuttgart 1962. ²1967, zit.: Jesaja II.

Freehof, S. B.: Book of Isaiah, The Jewish Commentary for Jewish Readers, New York 1972.

Girotti, G.: Introduzione generale ai Profeti; Il libro di Isaia commentato, La Santa Bibbia commentato da M. Soler e G. Girotti, Il Vecchio Testamento VII, Turin 1942.

Gray, G. B.: A Critical and Exegetical Commentary on the Book of Isaiah I–XXVII, ICC, Edinburgh 1912. 1947.

Guthe, H.–Eißfeldt, O.: Das Buch Jesaia (Kap. 1–35), HSAT(K) I, Tübingen ²1896. ⁴1922/23.

Hastings, E.: Isaiah. Cc. 1–39, Speaker's Bible, Aberdeen 1934.

Herbert, A. S.: The Book of the Prophet Isaiah. Chapters 1–39, CNEB, Cambridge 1973.

Herntrich, V.: Der Prophet Jesaja. Kapitel 1–12, ATD 17, Göttingen 1950. ²1954. ³1957.

Hertzberg, H. W.: Der erste Jesaja (Kap. 1–39), BhG, Leipzig 1936. Kassel ²1952.

Holladay, W. L.: Isaiah, Grand Rapids 1978.

Hoonacker, A. van: Het boek Isaias, Brügge 1932.

Huesman, J. E.: The Book of Isaiah, 2 Bde., PBiS XXV/XXXII, New York 1961.

Kaiser, O.: Das Buch des Propheten Jesaja. Kapitel 1–12, ATD 17, Göttingen ⁵1981, zit.: Jesaja I.

Ders.: Der Prophet Jesaja. Kapitel 1–12, ATD 17, Göttingen ¹1960. ⁴1978, zit.: Jesaja I¹.

Ders.: Der Prophet Jesaja. Kapitel 13–39, ATD 18, Göttingen ²1976, zit.: Jesaja II.

Kalt, E.: Das Buch der Weisheit. Das Buch Isaias, Freiburg 1938.

Kissane, E. J.: The Book of Isaiah. Translated from a critically revised hebrew text with commentary, Bd. 1, Dublin 1941. ²1960.

Knabenbauer, J.: Erklärung des Propheten Isaias, Freiburg 1881.

König, E.: Das Buch Jesaja, Gütersloh 1926.

Luzzi, G.: I Profeti, Isaia, Florenz 1928.

Marti, K.: Das Buch Jesaja, KHC X, Tübingen 1900.

Mauchline, J.: Isaiah 1–39, TBC, London 1962.

Mowinckel, S.: Jesaja, Oslo 1949.

Muckle, J. Y.: Isaiah 1–39, Epworth Preacher's Commentaries, London 1960.

Orelli, C. von: Die Propheten Jesaja und Jeremia, KK, München 1887. ³1904.

Penna, A.: Isaia, SB(T), Turin 1958. ²1964.

Pines, S. Z.: Kommentar zum Propheten Jesaja (hebr.), Wien 1927.

Procksch, O.: Jesaia I, KAT IX/1, Leipzig 1930.

Ridderbos, J.: De Profeet Jesaja opnieuw uit de Grondtext vertaald en ver klaard, Bd. I (Kap. 1–39), Kampen 1922.

Ders.: Het godswoord der profeten, II: Jesaja, Kampen 1932.

Roberts, L. G. A.: Commentary on the Book of the Prophet Isaiah, London 1931.

Roelants, A.: Het Boek Isaias, Brügge 1924.

Schmidt, H.: Die großen Propheten, SAT II/2, Göttingen 1915. ²1923.

Schoors, A.: Jesaja, BOT 9a, Roermond 1972.

Scott, R. B. Y.–Kilpatrick, G. G. D.: The Book of Isaiah, Chapters 1–39, IntB V, Nashville 1956. ²⁰1978.

Skinner, J.: The Book of the Prophet Isaiah, c. 1–39, CBSC, Cambridge 1896/98. ²1917.

Slotki, I. W.: Isaiah, SBBS, London 1949.

Snijders, L. A.: Jesaja, deel I, De Prediking van het Oude Testament, Nij- kerk 1969.

Virgulin, S.: Il Profeta Isaia, Fossano 1972.

Wade, G. W.: The Book of the Prophet Isaiah, WC, London 1911.

Weiland, J. S.: Jesaja. Commentaar (1–32), Amsterdam 1964.

Whitehouse, O. C.: Isaiah, 2 Bde., CeB, Edinburgh 1905/09.

Wildberger, H.: Jesaja, 1. Teilband (Jes 1–12), BK X/1, Neukirchen-Vluyn 1972, zit.: Jesaja I.

Ders.: Jesaja, 2. Teilband (Jes 13–27), BK X/2, Neukirchen-Vluyn 1978, zit.: Jesaja II.

Ders.: Jesaja, 3. Teilband, Lfg. 13–18 (Jes 28,1–39), Neukirchen-Vluyn 1978 ff., zit.: Jesaja III.

Wright, G. E.: The Book of Isaiah, Layman's Bible Commentary 11, At- lanta 1964. ⁸1978.

Young, E. J.: The Book of Isaiah, 3 Bde., Grand Rapids, Bd. I: 1965. ⁴1974; Bd. II: 1970. ³1975; Bd. III: 1972. ²1974.

Ziegler, J.: Isaias, EB, AT 5, Würzburg 1948. ⁴1960.

2. Abhandlungen

Albright, W. F.: The Babylonian Temple-Tower and the Altar of Burnt-Offering, JBL 39, Philadelphia, Pa. 1920, 137–142.

Alt, A.: Jesaja 8, 23–9, 6. Befreiungsnacht und Krönungstag, in: Baumgartner, W., u. a., Hrsg., Festschrift Alfred Bertholet zum Geburtstag, Tübingen 1950, 29–49 = Kleine Schriften zur Geschichte des Volkes Israel, Bd. 2, München ³1964, 206–225.

Barth, H.: Die Jesaja-Worte in der Josiazeit. Israel und Assur als Thema einer produktiven Neuinterpretation der Jesajaüberlieferung, WMANT 48, Neukirchen–Vluyn 1977.

Becker, J.: Isaias – der Prophet und sein Buch, SBS 30, Stuttgart 1968.

Ders.: Messiaserwartung im Alten Testament, SBS 83, Stuttgart 1977.

Beer, G.: Zur Zukunftserwartung Jesajas, in: Marti, K., Hrsg., Studien zur semitischen Philologie und Religionsgeschichte, Festschrift J. Wellhausen, BZAW 27, Gießen 1914, 13–35.

Blank, S. H.: Prophetic Faith in Isaiah, London 1958.

Boehmer, J.: Der Glaube und Jesaja. Zu Jes 7, 9 und 28, 16, ZAW 41, Gießen 1923, 84–93.

Botterweck, G. J.: Gott und Mensch in den alttestamentlichen Löwenbildern, in: Schreiner, J., Hrsg., Wort, Lied und Gottesspruch, Festschrift J. Ziegler, FzB 2, Würzburg 1972, 117–128.

Brunet, G.: Essai sur L'Isaie de l'histoire. Etude de quelques textes notamment dans Isa. VII, VIII & XXII, Paris 1975.

Brunner, H.: Gerechtigkeit als Fundament des Thrones, VT 8, Leiden 1958, 426–428.

Buber, M.: Der Glaube der Propheten, Zürich 1950.

Budde, K.: Über die Schranken, die Jesajas prophetischer Botschaft zu setzen sind, ZAW 41, Gießen 1923, 154–203.

Bulmerincq, A. von: Die Immanuelweissagung (Jes 7) im Lichte der neueren Forschung, Acta et Commentationes Universitatis Tartuensis 37, Dorpat 1936, 5–17.

Cannawurf, E.: The Authenticity of Micah IV 1–4, VT 13, Leiden 1963, 26–33.

Cazelles, H.: Qui aurait visé, à l'origine, Isaie II 2–5?, VT 30, Leiden 1980, 409–420.

Cheyne, T. K.: Introduction of the Book of Isaiah, London 1895 = Ders., Einleitung in das Buch Jesaja, Gießen 1897.

Childs, B. S.: Isaiah and the Assyrian Crisis, SBT II, 3; London 1967.

Coppens, J.: L'Interpretation d' Is., VII, 14, à la lumière des études les plus récentes, in: Lex tua veritas, Festschrift H. Junker, Trier 1961, 31–45.

Ders.: La prophétie d'Emmanuel, in: Cerfaux, L., u. a., L'attente du Messie, RechBib, Paris 1954, 39–50.

Ders.: La prophétie de la ᶜALMAH. Is., VII, 14–17, EThL 28, Löwen 1952, 648–678.

Ders.: Le roi idéal d' Is., IX, 5–6 et XI, 1–5 est-il une figure messianique, in: A la rencontre de Dieu (Mémorial A. Gelin), BFCTL 8, Lyon 1961, 85–108.

Ders.: Les origines du Messianisme. Le dernier essai de synthèse historique, in: Cerfaux, L., u. a., L'attente du Messie, RechBib, Paris 1954, 31–38.

Crook, M. B.: A suggested Occasion for Isaiah 9, 2–7 and 11, 1–9, JBL 68, Philadelphia, Pa. 1949, 213–224.

Crüsemann, F.: Studien zur Formgeschichte von Hymnus und Danklied in Israel, WMANT 32, Neukirchen–Vluyn 1969.

Delling, G.: Art. parthénos, B. 1. Die Mutter des Immanuel, ThWNT V, Stuttgart u. a. 1954, 829–830.

Dietrich, E. K.: Die Umkehr (Bekehrung und Buße) im Alten Testament und im Judentum bei besonderer Berücksichtigung der neutestamentlichen Zeit, Stuttgart 1936.

Dietrich, W.: Jesaja und die Politik, BEvTh 74, München 1976.

Dittmann, H.: Der heilige Rest im Alten Testament, ThStKr 87, Hamburg 1914, 603–618.

Donner, H.: Der Feind aus dem Norden. Topographische und archäologische Erwägungen zu Jes 10, 27b–34, ZDPV 84, Wiesbaden 1968, 46–54.

Ders.: Israel unter den Völkern. Die Stellung der klassischen Propheten des 8. Jahrhunderts v. Chr. zur Außenpolitik der Könige von Israel und Juda, VTS 11, Leiden 1964.

Dreyfus, F.: Art. Rest, in: Léon-Dufour, X., Wörterbuch zur biblischen Botschaft, Bd. 2, Freiburg ²1967, 565–567.

Eißfeldt, O.: Einleitung in das Alte Testament unter Einschluß der Apokryphen und Pseudoepigraphen sowie der apokryphen- und pseudoepigraphenartigen Qumrān-Schriften, Tübingen ⁴1976.

Elliger, K.: Prophet und Politik, ZAW 53, Berlin 1935, 3–22 = Ders., Kleine Schriften zum Alten Testament, ThB 32, München 1966, 119 bis 140.

Engnell, I.: Studies in Divine Kingship in the Ancient Near East, Uppsala 1943. Oxford [2]1967.

Ders.: The Call of Isaiah. An Exegetical and Comparative Study, UUA 1949, 4, Uppsala 1949.

Feigin, S.: The Meaning of Ariel, JBL 39, Philadelphia, Pa. 1920, 131–137.

Fey, R.: Amos und Jesaja. Abhängigkeit und Eigenständigkeit des Jesaja, WMANT 12, Neukirchen–Vluyn 1963.

Fichtner, J.: Jahwes Plan in der Botschaft des Jesaja, ZAW 63, Berlin 1951, 16–33 = Ders., Gottes Weisheit. Gesammelte Studien zum Alten Testament, hrsg. von K. D. Fricke, Stuttgart 1965, 27–43.

Fohrer, G.: Die Propheten des Alten Testaments, Bd. 1: Die Propheten des 8. Jahrhunderts, Gütersloh 1974.

Ders.: Die Propheten des Alten Testaments, Bd. 5: Die Propheten des ausgehenden 6. und des 5. Jahrhunderts, Gütersloh 1976.

Ders.: Die Struktur der alttestamentlichen Eschatologie, ThLZ 85, Leipzig 1960, 401–420 = Studien zur alttestamentlichen Prophetie (1949–1965), BZAW 99, Berlin 1967, 32–58 = Preuß, H. D., Hrsg., Eschatologie im Alten Testament, WdF 480, Darmstadt 1978, 147–180.

Ders.: Einleitung in das Alte Testament, Heidelberg [12]1979.

Ders.: Geschichte der israelitischen Religion, GLB, Berlin 1969.

Ders.: Jesaja 1 als Zusammenfassung der Verkündigung Jesajas, ZAW 74, Berlin 1962, 251–268 = Studien zur alttestamentlichen Prophetie (1949–1965), BZAW 99, Berlin 1967, 148–166.

Ders.: *(Literaturberichte:)*

Neuere Literatur zur alttestamentlichen Prophetie, ThR NF 19, Tübingen 1951, 277–346; ThR NF 20, Tübingen 1952, 193–271. 295–361.

Zehn Jahre Literatur zur alttestamentlichen Prophetie (1951–1960), ThR NF 28, Tübingen 1962, 1–75. 235–297. 301–374.

Neue Literatur zur alttestamentlichen Prophetie (1961–1970), ThR NF 40, Tübingen 1975, 193–209. 337–377; ThR NF 41, Tübingen 1976, 1–12; ThR NF 45, Tübingen 1980, 1–39. 109–132. 193–225.

Ders.: Messiasfrage und Bibelverständnis, SGV 213/214, Tübingen 1957.

Ders.: Wandlungen Jesajas, in: Festschrift W. Eilers, Wiesbaden 1967, 58–71 = Ders., Studien zu alttestamentlichen Texten und Themen (1966–1972), BZAW 155, Berlin 1981, 11–23.

Ders.: Zu Jesaja 7, 14 im Zusammenhang von Jesaja 7, 10–22, ZAW 68, Berlin 1956, 54–56 = Studien zur alttestamentlichen Prophetie (1949–1965), BZAW 99, Berlin 1967, 167–169.

Fullerton, K.: Viewpoints in the Diskussion of Isaiah's Hopes for the Future, JBL 41, Philadelphia, Pa. 1922, 1–101.

Galling, K.: Serubbabel und der Wiederaufbau des Tempels in Jerusalem, in: Kuschke, A., Hrsg., Verbannung und Heimkehr, Festschrift W. Rudolph, Tübingen 1961, 67–96.

Gesenius, W.–Kautzsch, E.: Hebräische Grammatik, Leipzig ²⁸1909, NDr. Hildesheim 1962.

Godbey, A. H.: Ariel or David-Cultus, AJSL 41, Chicago 1924, 253–266.

Gottwald, N. K.: Immanuel as the Prophet's Son, VT 8, Leiden 1958, 36–47.

Greßmann, H.: Der Messias, FRLANT 43, Göttingen 1929.

Groß, H.: Der Messias im Alten Testament, TThZ 71, Trier 1962, 154 bis 170.

Ders.: Die Verheißung des Emmanuel (Is 7,14), BiKi 15, Stuttgart 1960, 102–104.

Ders.: Weltherrschaft als religiöse Idee im Alten Testament, BBB 6, Bonn 1953.

Gunneweg, A. H. J.: Heils- und Unheilsverkündigung in Jes. VII, VT 15, Leiden 1965, 27–34.

Haag, H.: Is 7,14 als alttestamentliche Grundstelle der Lehre von der Virginitas Mariae, in: Jungfrauengeburt gestern und heute, hrsg. von H. J. Brosch, MSt 4, Essen 1969, 137–144 = Ders., Das Buch des Bundes. Aufsätze zur Bibel und zu ihrer Welt, hrsg. von B. Lang, Düsseldorf 1980, 180–186.

Hackmann, H.: Die Zukunftserwartung des Jesaja, Göttingen 1893.

Hammershaimb, E.: The Immanuel Sign, StTh 3, Lund 1949, 124–142.

Hardmeier, C.: Jesajas Verkündigungsabsicht und Jahwes Verstockungsauftrag in Jes 6, in: Jeremias, J.–Perlitt, L., Hrsg., Die Botschaft und die Boten, Festschrift H. W. Wolff, Neukirchen-Vluyn 1981, 235–251.

Hayes, J. H.: The Tradition of Zion's Inviolability, JBL 82, Philadelphia, Pa. 1963, 419–426.

Hempel, J.: Worte der Propheten, Berlin 1949.

Hermisson, H.-J.: Zukunftserwartung und Gegenwartskritik in der Verkündigung Jesajas, EvTh 33, München 1973, 54–77.

Herrmann, S.: Die Königsnovelle in Ägypten und Israel. Ein Beitrag zur Gattungsgeschichte in den Geschichtsbüchern des Alten Testaments, WZ(L).GS, 3. Jg., Leipzig 1953/54, 51–62.

Herrmann, S.: Die prophetischen Heilserwartungen im Alten Testament. Ursprung und Gestaltwandel, BWANT 5, Stuttgart 1965.

Hesse, F.: Das Verstockungsproblem im Alten Testament. Eine frömmigkeitsgeschichtliche Untersuchung, BZAW 74, Berlin 1955.

Hölscher, G.: Die Profeten. Untersuchungen zur Religionsgeschichte Israels, Leipzig 1914.

Hoffmann, H. W.: Die Intention der Verkündigung Jesajas, BZAW 136, Berlin 1974.

Huber, F.: Jahwe, Juda und die anderen Völker beim Propheten Jesaja, BZAW 137, Berlin 1976.

Irwin, W. A.: The Attitude of Isaiah in the Crisis of 701, JR 16, Chicago 1936, 406–418.

Jenni, E.: Die politischen Voraussagen der Propheten, AThANT 29, Zürich 1956.

Ders.: Jesajas Berufung in der neueren Forschung, ThZ 15, Basel 1959, 321–339.

Jepsen, A.: Die Nebiah in Jes. 8, 3, ZAW 72, Berlin 1960, 267–268.

Jepsen, A.–Hanhart, R.: Untersuchungen zur israelitisch-jüdischen Chronologie, BZAW 88, Berlin 1964.

Jeremias, J.: Lade und Zion. Zur Entstehung der Zionstradition, in: Wolff, H. W., Hrsg., Probleme biblischer Theologie, Festschrift G. von Rad, München 1971, 183–198.

Ders.: Rezension von: G. Wanke, Die Zionstheologie der Korachiten in ihrem traditionsgeschichtlichen Zusammenhang, BZAW 97, Berlin 1966, in: BiOr 24, Leiden 1967, 365 f.

Junker, H.: Sancta Civitas, Jerusalem Nova. Eine formkritische und überlieferungsgeschichtliche Studie zu Is 2, in: Theologische Fakultät Trier, Hrsg., Ekklesia, Festschrift Bischof Wehr, TThSt 15, Trier 1962, 17–33.

Ders.: Ursprung und Grundzüge des Messiasbildes bei Isajas, TThZ 66, 1957, 193–207 = VTS 4, Leiden 1957, 181–186.

Kilian, R.: Der Verstockungsauftrag Jesajas, in: Fabry, H.-J., Hrsg., Bausteine biblischer Theologie, Festschrift G. J. Botterweck, BBB 50, Köln/Bonn 1977, 209–225.

Ders.: Die prophetischen Berufungsberichte, in: Theologie im Wandel. Festschrift zum 150jährigen Bestehen der Katholisch-Theologischen Fakultät an der Universität Tübingen 1817–1967, München u. a. 1967, 356–376.

Ders.: Die Verheißung Immanuels Jes 7, 14, SBS 35, Stuttgart 1968.

Ders.: Prolegomena zur Auslegung der Immanuelverheißung, in: Schreiner, J., Hrsg., Wort, Lied und Gottesspruch, Festschrift J. Ziegler, FzB 2, Würzburg 1972, 207–215.

Ders.: Überlegungen zur alttestamentlichen Eschatologie, in: Kilian, R., u. a., Hrsg., Eschatologie. Bibeltheologische und philosophische Studien zum Verhältnis von Erlösungswelt und Wirklichkeitsbewältigung, Festschrift E. Neuhäusler, St. Ottilien 1981, 23–39.

Kittel, R.: Die hellenistische Mysterienreligion und das Alte Testament, BWAT NF 7, Stuttgart 1924.

Knierim, R.: The Vocation of Isaiah, VT 18, Leiden 1968, 47–68.

Köhler, L.: Zum Verständnis von Jesaja 7, 14, ZAW 67, Berlin 1955, 48 bis 50.

Ders.: Zwei Fachwörter der Bausprache in Jes 28, 16, ThZ 3, Basel 1947, 390–393.

Kraus, H. J.: Die Psalmen, 1. Teilband (Ps 1–59), BK XV/1, Neukirchen-Vluyn ⁵1978, zit.: Psalmen I.

Ders.: Die Psalmen, 2. Teilband (Ps 60–150), BK XV/2, Neukirchen-Vluyn ⁵1978, zit.: Psalmen II.

Ders.: Theologie der Psalmen, BK XV/3, Neukirchen-Vluyn 1979.

Krause, H. J.: *hôj* als prophetische Leichenklage über das eigene Volk im 8. Jahrhundert, ZAW 85, Berlin 1973, 15–46.

Kruse, H.: Alma Redemptoris Mater. Eine Auslegung der Immanuel-Weissagung Is 7, 14, TThZ 74, Trier 1965, 15–36.

Lescow, Th.: Das Geburtsmotiv in den messianischen Weissagungen bei Jesaja und Micha, ZAW 79, Berlin 1967, 172–207.

Lindblom, J.: A Study on the Immanuel Section in Isaiah. Isa. VII, 1–IX, 6, SMHVL, Lund 1958.

Ders.: Der Eckstein in Jes 28, 16, in: Dahl, N. A. u. a., Hrsg., Interpretationes ad Vetus Testamentum pertinentes Sigmundo Mowinckel septuagenario missae, NTT 56, Oslo 1955, 123–132.

Lohfink, N.: Bibelauslegung im Wandel. Ein Exeget ortet seine Wissenschaft, Frankfurt ²1967.

Ders.: Die historische und die christliche Auslegung des Alten Testaments, StZ 178, Freiburg 1966, 98–112 = Ders., Bibelauslegung im Wandel. Ein Exeget ortet seine Wissenschaft, Frankfurt ²1967, 185–213.

Lutz, H.-M.: Jahwe, Jerusalem und die Völker. Zur Vorgeschichte von Sach 12, 1–8 und 14, 1–5, WMANT 27, Neukirchen–Vluyn 1968.

Markert, L.–Wanke, G.: Die Propheteninterpretation. Anfragen und Überlegungen, KuD 22, Göttingen 1976, 191–220.

Marti, K.: Der jesajanische Kern in Jes 6, 1–9, 6, in: Marti, K., Hrsg., Beiträge zur alttestamentlichen Wissenschaft, Festschrift Budde, BZAW 34, Gießen 1920, 113–121.

Martin-Achard, R.: Israel et les nations. La perspective missionaire de l'Ancien Testament, CTh 42, Neuchatel 1959.

McKane, W.: The Interpretation of Isaiah VII 14–25, VT 17, Leiden 1967, 208–219.

Moriarty, F. L.: The Emmanuel Prophecies, CBQ 19, Washington 1957, 226–233.

Mowinckel, S.: Die Komposition des Jesajabuches Kap. 1–39, AcOr 11, Leiden 1933, 267–292.

Ders.: He that Cometh, Nashville/New York 1954.

Ders.: Profeten Jesaja. En Bibelstudiebok, Oslo 1925.

Müller, H.-P.: Ursprünge und Strukturen alttestamentlicher Eschatologie, BZAW 109, Berlin 1969.

Müller, W. E.–Preuß, H. D.: Die Vorstellung vom Rest im Alten Testament. Für die Neuauflage durchgesehen, überarbeitet, mit Ergänzungen und einem Nachtrag versehen von H. D. Preuß, Neukirchen-Vluyn 1973.

Norden, E.: Die Geburt des Kindes. Geschichte einer religiösen Idee, Leipzig 1924. NDr. Darmstadt ⁴1969.

Palmarini, N.: Emmanuelis prophetia et bellum syro-ephraimiticum, VD 31, Rom 1953, 321–334.

Pavlovský, V.–Vogt, E.: Die Jahre der Könige von Juda und Israel, Bibl. 45, Rom 1964, 321–347.

Porúbčan, Št.: The Word ʾôt in Isaia 7, 14, CBQ 22, Washington 1960, 144–159.

Preuß, H. D.: Jahweglaube und Zukunfterwartung, BWANT 87, Stuttgart 1968.

Rad, G. von: Das judäische Königsritual, ThLZ 72, Berlin 1947, Sp. 211–216 = Ders., Gesammelte Studien zum Alten Testament, ThB 8, München ⁴1971, 205–213.

Ders.: Die Stadt auf dem Berge, EvTh 8, München 1948/49, 439–447 = Ders., Gesammelte Studien zum Alten Testament, ThB 8, München ⁴1971, 214–225.

Ders.: Theologie des Alten Testaments, Bd. 2: Die Theologie der prophetischen Überlieferungen Israels, München ⁷1980.

Rehm, M.: Der königliche Messias im Licht der Immanuel-Weissagungen des Buches Jesaja, ESt NF 1, Kevelaer 1968.

Richter, W.: Die sogenannten vorprophetischen Berufungsberichte. Eine literaturwissenschaftliche Studie zu 1Sam 9, 1–10, 16, Ex 3 f. und Ri 6, 11b–17, FRLANT 101, Göttingen 1970.

Rignell, L. G.: Das Immanuelzeichen. Einige Gesichtspunkte zu Jes 7, StTh 11, Lund 1957, 99–119.

Ringgren, H.: The Messiah in the Old Testament, SBT 18, London [3]1967.

Rohland, E.: Die Bedeutung der Erwählungstraditionen Israels für die Eschatologie der alttestamentlichen Propheten, Diss. Heidelberg 1956. [S. 266–283 in: Neumann, P. H. A., Hrsg., Das Prophetenverständnis in der deutschsprachigen Forschung seit Heinrich Ewald, WdF 307, Darmstadt 1979.]

Rudolph, W.: Hosea, KAT XIII, 1, Gütersloh 1966.

Ders.: Micha–Nahum–Habakuk–Zephanja, KAT XIII, 3, Gütersloh 1975.

Sauer, G.: Die Umkehrforderung in der Verkündigung Jesajas, in: Stoebe, H. J., Hrsg., Wort–Gebot–Glaube. Beiträge zur Theologie des Alten Testaments, Festschrift W. Eichrodt, AThANT 59, Zürich 1970, 277–295.

Scharbert, J.: Das Verbum PQD in der Theologie des Alten Testaments, BZ NF 4, Paderborn 1960, 209–226.

Ders.: Die Propheten Israels bis 700 v. Chr., Köln 1965.

Schedl, C.: Rufer des Heils in heilloser Zeit. Der Prophet Jesajah Kapitel I–XII logotechnisch und bibeltheologisch erklärt, Paderborn 1973.

Schmid, H.: Jahwe und die Kulttraditionen von Jerusalem, ZAW 67, Berlin 1955, 168–197.

Schmidt, J. M.: Ausgangspunkt und Ziel prophetischer Verkündigung im 8. Jahrhundert, VF 22, 1, München 1977, 65–82.

Ders.: Gedanken zum Verstockungsauftrag Jesajas (Is. VI), VT 21, Leiden 1971, 68–90.

Schmidt, W. H.: Die Einheit der Verkündigung Jesajas. Versuch einer Zusammenschau, EvTh 37, München 1977, 260–272.

Ders.: Zukunftsgewißheit und Gegenwartskritik. Grundzüge prophetischer Verkündigung, BSt 64, Neukirchen-Vluyn 1973.

Schreiner, J.: Sion-Jerusalem Jahwes Königssitz. Theologie der Heiligen Stadt im Alten Testament, StANT 7, München 1963.

Seybold, K.: Das davidische Königtum im Zeugnis der Propheten, FRLANT 107, Göttingen 1972.

Stade, B.: Weitere Bemerkungen zu Micha 4. 5, ZAW 3, Gießen 1883, 1–16.

Stamm, J. J.: Die Immanuel-Perikope. Eine Nachlese, ThZ 30, Basel 1974, 11–22.

Ders.: Die Immanuel-Perikope im Lichte neuerer Veröffentlichungen, ZDMG, Suppl. 1, Wiesbaden 1969, 281–290.

151

Stamm, J. J.: Die Immanuel-Weissagung. Ein Gespräch mit E. Hammer-shaimb, VT 4, Leiden 1954, 20–33.

Ders.: Die Immanuel-Weissagung und die Eschatologie des Jesaja, ThZ 16, Basel 1960, 439–455.

Ders.: La prophétie d'Emmanuel, RHPhR 23, Straßburg 1943, 1–26.

Ders.: Neuere Arbeiten zum Immanuelproblem, ZAW 68, Berlin 1956, 46–54.

Steck, O. H.: Bemerkungen zu Jesaja 6, BZ NF 16, Paderborn 1972, 188–206.

Ders.: Friedensvorstellungen im alten Jerusalem. Psalmen, Jesaja, Deutero-jesaja, ThSt(Z) 111, Zürich 1972.

Stegemann, U.: Der Restgedanke bei Isaias, BZ NF 13, Paderborn 1969, 161–186.

Steinmann, J.: Le prophète Isaie. Sa vie, son œuvre et son temps, Paris 1955.

Stolz, F.: Strukturen und Figuren im Kult von Jerusalem. Studien zur alt-orientalischen, vor- und frühisraelitischen Religion, BZAW 118, Berlin 1970.

Sutcliffe, E. F.: The Emmanuel Prophecy of Isaias, EE 34, Madrid 1960, 753–765.

Tournay, R.: L'Emmanuel et sa Vierge-Mère, RThom 55, Brügge u. a. 1955, 249–258.

Vaux, R. de: Le « Reste d'Israel » d'après les prophètes, in: Bible et Orient, Paris 1967, 25–39.

Vermeylen, J.: Du Prophète Isaie à l'Apocalyptique, Isaie, I–XXXV, miroir d'un demi-millénaire d'experience religieuse en Israel, 2 Bde., Paris 1977 f., zit.: Isaie I, bzw. Isaie II.

Vischer, W.: Die Immanuel-Botschaft im Rahmen des königlichen Zions-festes, ThSt(Z) 45, Zollikon/Zürich 1955.

Vogt, E.: Sennacherib und die letzte Tätigkeit Jesajas, Bibl. 47, Rom 1966, 427–437.

Vollmer, J.: Geschichtliche Rückblicke und Motive in der Prophetie des Amos, Hosea und Jesaja, BZAW 119, Berlin 1971.

Ders.: Jesajanische Begrifflichkeit?, ZAW 83, Berlin 1971, 389–391.

Ders.: Zur Sprache von Jes 9,1–6, ZAW 80, Berlin 1968, 343–350.

Wanke, G.: Die Zionstheologie der Korachiten in ihrem traditionsgeschicht-lichen Zusammenhang, BZAW 97, Berlin 1966.

Warmuth, G.: Das Mahnwort. Seine Bedeutung für die Verkündigung der vorexilischen Propheten Amos, Hosea, Micha, Jesaja und Jeremia, BET 1, Frankfurt a. M. u. a. 1976.

Werner, W.: Eschatologische Texte in Jesaja 1–39. Messias, Heiliger Rest, Völker, FzB 46, Würzburg 1982.

Ders.: Israel in der Entscheidung. Überlegungen zur Datierung und zur theologischen Aussage von Jes 1, 4–9, in: Kilian, R., u. a., Hrsg., Eschatologie. Bibeltheologische und philosophische Studien zum Verhältnis von Erlösungswelt und Wirklichkeitsbewältigung, Festschrift E. Neuhäusler, St. Ottilien 1981, 59–72.

Whitley, C. F.: The Call and Mission of Isaiah, INES 18, Chicago 1959, 38–48.

Wildberger, H.: Die Thronnamen des Messias, Jes 9, 5b, ThZ 16, Basel 1960, 314–332 = Ders., Jahwe und sein Volk. Gesammelte Aufsätze zum Alten Testament, ThB 66, München 1979, 56–74.

Ders.: Die Völkerwallfahrt zum Zion, Jes II 1–5, VT 7, Leiden 1957, 62–81.

Ders.: Jesajas Verständnis der Geschichte, VTS 9, Leiden 1963, 83–117 = Ders., Jahwe und sein Volk. Gesammelte Aufsätze zum Alten Testament, ThB 66, München 1979, 75–109.

Wilke, F.: Jesaja und Assur. Eine exegetisch-historische Untersuchung zur Politik des Propheten Jesaja, Leipzig 1905.

Wolff, H. W.: Das Thema „Umkehr" in der alttestamentlichen Prophetie, ZThK 48, Tübingen 1951, 129–148 = Ders., Gesammelte Studien zum Alten Testament, ThB 22, München ²1973, 130–150.

Ders.: Frieden ohne Ende. Jesaja 7, 1–17 und 9, 1–6 ausgelegt, BSt 35, Neukirchen-Vluyn 1962.

Woude, A. S. van der: Micha, De Prediking van het Oude Testament, Nijkerk 1976.

Young, E. J.: The Study of Isaiah since the Time of Joseph Addison Alexander, in: Ders., Studies in Isaiah, London 1954, 9–101.

Zimmerli, W.: Ezechiel, 1. Teilband (Ez 1–24), BK XIII/1 Neukirchen-Vluyn ²1979.

Ders.: Grundriß der alttestamentlichen Theologie, ThW 3, Stuttgart ²1975.

Ders.: Jesaja und Hiskia, in: Gese, H.–Rüger, H. P., Hrsg., Wort und Geschichte, Festschrift K. Elliger, AOAT 18, Neukirchen-Vluyn/Kevelaer 1973, 199–208.

Ders.: Verkündigung und Sprache der Botschaft Jesajas, in: Rössler, D., u. a., Hrsg., Fides et communicatio, Festschrift M. Doerne, Göttingen 1970, 441–454 = Ders., Studien zur alttestamentlichen Theologie und Prophetie, Gesammelte Aufsätze II, ThB 51, München 1974, 73–87.

STELLENREGISTER